中华人民共和国国家标准

医药工业总图运输设计规范

Code for design of general plot plan and transportation of pharmaceutical industry

GB 51047 - 2014

主编部门：中 国 医 药 工 程 设 计 协 会

批准部门：中华人民共和国住房和城乡建设部

施行日期：2 0 1 5 年 8 月 1 日

中国计划出版社

2014 北 京

中华人民共和国国家标准

医药工业总图运输设计规范

GB 51047-2014

☆

中国计划出版社出版

网址：www.jhpress.com

地址：北京市西城区木樨地北里甲11号国宏大厦C座3层

邮政编码：100038　电话：(010) 63906433（发行部）

新华书店北京发行所发行

北京市科星印刷有限责任公司印刷

850mm×1168mm　1/32　3.25印张　81千字

2015年6月第1版　2015年6月第1次印刷

☆

统一书号：1580242·648

定价：20.00元

中华人民共和国住房和城乡建设部公告

第649号

住房城乡建设部关于发布国家标准《医药工业总图运输设计规范》的公告

现批准《医药工业总图运输设计规范》为国家标准，编号为GB 51047—2014，自2015年8月1日起实施。其中，第3.0.8、3.0.13、4.2.5、4.2.6、4.2.7、4.4.3(3)条(款)为强制性条文，必须严格执行。

本规范由我部标准定额研究所组织中国计划出版社出版发行。

中华人民共和国住房和城乡建设部

2014年12月2日

前　言

本规范是根据住房城乡建设部《关于印发〈2008年工程建设标准规范制订、修订计划(第二批)〉的通知》(建标〔2008〕105号)的要求,由中国医药集团联合工程有限公司会同有关单位共同编制完成的。

本规范在编制过程中,编制组经广泛调查研究,认真总结医药总图运输在工程实践中的经验,参考有关国际标准,并广泛征求意见,最后经审查定稿。

本规范共分9章和1个附录。主要内容有:总则、术语、厂址选择、总平面布置、竖向设计、厂区道路设计、管线综合设计、绿化设计、主要技术经济指标计算等。

本规范中以黑体字标志的条文为强制性条文,必须严格执行。

本规范由住房城乡建设部负责管理和对强制性条文的解释,由中国医药工程设计协会负责日常管理,由中国医药集团联合工程有限公司负责具体技术内容的解释。本规范在执行过程中如有意见或建议,请寄送中国医药集团联合工程有限公司(地址:湖北省武汉市武昌黄鹂路25号;邮政编码:430077),以供今后修订时参考。

本规范主编单位、参编单位、主要起草人和主要审查人:

主编单位:中国医药集团联合工程有限公司

参编单位:中国石化集团上海工程有限公司

中国医药集团重庆医药设计院

主要起草人:刘　元　严毅然　刘启发　张　奇　许继辉

杨丽敏　张长银　夏攀峰　杨　丽　陈维安

蔡　炜　缪　晡　杨　军　余　健　伍莉萍

吴　霞

主要审查人:马立新　甘长霖　李　波　宋丽萍　王晓东
许小球　晁　阳　华永康

目　次

Contents

1 总　　则

1.0.1 为统一医药工业总图运输设计原则和技术要求，使医药工业企业总图运输设计符合国家工程建设方针政策，做到技术先进、节能环保、经济合理、安全适用、节约资源、保护环境，并满足生产工艺要求，保证产品质量，确保人民用药安全以及提高医药企业的经济效益、社会效益、环境效益，制定本规范。

1.0.2 本规范适用于新建、扩建和改建医药工业总图运输的设计。包括药物制剂、化学原料药、中药、生物制药、毒麻药品、放射性药物、医用气体、医疗器械、药物研发、中试、药物包材、医药仓储物流以及医用、药物辅料等类型的医药生产及储运企业。

1.0.3 医药工业总图运输的设计，除应符合本规范外，尚应符合国家现行有关标准的规定。

2 术 语

2.0.1 逆温层 inversion layer

对流层中出现的气温随高度增加而升高的大气层。

2.0.2 厂区 plant area

由生产设施或装置、辅助生产设施、动力公用设施、仓储设施、运输设施、办公质检及生活服务设施等组成的区域。

2.0.3 生产区 production area

指为完成生产过程的生产设施或装置集中布置的区域。

2.0.4 动力公用设施 public power facilities

指水、电、气、汽等设施的统称，如循环水系统、变配电站（所）、锅炉房、冷冻站、空压站等。

2.0.5 运输设施 transportation facilities

为完成特定物流而设置的专用铁路、道路、码头等相关设施及装卸用具。

2.0.6 行政办公及生活服务设施区 administration office and living servicing facility area

在厂区内为生产调度、经营管理、质量检验而设置的办公楼、食堂、浴室、倒班宿舍、停车场等设施的区域。

2.0.7 罐区 tank yard

由两个或多个储罐组集中布置的区域。

2.0.8 厂区通道 access

厂区两个相邻的主要建筑物之间或主要建筑物与构筑物之间由于布置交通线路、工程管线，满足各种防护间距所必需的间隔宽度。

2.0.9 街区 block

指用通道分隔成的独立区域。

2.0.10 半敞开式厂房 semi-enclosed industrial building

设有屋顶，建筑外围护结构局部采用封闭式墙体，所占面积不超过该建筑外围护体表面面积的1/2（不含屋顶的面积）的生产性建筑物。

2.0.11 绿地率 ratio of green space

厂区用地范围内各类绿地面积的总和与厂区总用地面积的比率，单位为%。

2.0.12 建筑系数 building coefficient

厂区用地范围内各种建（构）筑物占（用）地面积的总和（包括露天生产装置和设施、露天堆场、操作场地的用地面积）与厂区建设用地面积的比率。

2.0.13 厂区利用系数 utilization coefficient for plant

厂区建设用地范围内各种建（构）筑物占（用）地面积，铁路和道路用地面积，露天设备及堆场、操作场地用地面积，工程管线用地面积总和与厂区用地面积的比率。

2.0.14 容积率 plot ratio

计算容积率的总建筑面积与厂区建设用地面积的比值。

3 厂址选择

3.0.1 厂址选择应符合工程所在地城镇总体规划要求。

3.0.2 厂址应具有方便和经济的交通运输条件。

3.0.3 厂址应具有满足生产、生活和发展所必需的水源和电源，以及相关的配套设施。

3.0.4 厂址应具有建设必需的场地面积和适宜的地形坡度，并应根据企业发展规划的需要，留有发展余地。

3.0.5 厂址应具有满足建设工程需要的工程地质条件和水文地质条件。

3.0.6 厂址不应受洪水、潮水或内涝威胁。防洪标准应符合现行国家标准《化工企业总图运输设计规范》GB 50489 和《防洪标准》GB 50201 的有关规定。

3.0.7 当企业遭受洪水淹没后会引起爆炸或导致毒液、毒气、放射性等有害物质大量泄露、扩散时，应采取专门的防洪防护措施。

3.0.8 当厂址位于山坡或山脚处时，不应选择在受山洪威胁的地段，并应对山坡的稳定性等作出地质灾害危险性评估报告。

3.0.9 除仅设有医药工业洁净厂房的厂区外，其他药厂厂址应位于城镇或居住区的全年最小频率风向的上风侧。

3.0.10 可能散发有害气体的厂址，不应选择在易形成逆温层及全年静风频率较高的区域。

3.0.11 事故状态时泄露或散发有毒、有害、易燃、易爆气体工厂的厂址，应远离城镇、居住区、公共设施、村庄、国家级和省级干道、国家和地方铁路干线、河海港区、仓储区、军事设施、机场等人员密集场所和重要设施。

3.0.12 事故状态时泄漏有毒、有害、易燃、易爆液体工厂的厂址，应远离江、河、湖、海及供水水源保护区。

3.0.13 厂址不应选择在下列地段或地区：

1 地震断层和地震设防烈度高于9度的地震区；

2 有泥石流、滑坡、流沙、溶洞等工程地质严重不良地段；

3 重要矿床分布地段和采矿陷落（错动）区界限内；

4 爆破危险区范围内；

5 风景区、森林、自然保护区和历史文物古迹保护区和其他需要特别保护的区域；

6 对飞机起降、电台通信、电视转播、雷达导航和重要的天文、气象、地震观测以及军事设施等有影响的地区；

7 重要的供水水源保护区；

8 坝或堤溃决后可能淹没的地区；

9 有严重放射性物质污染影响的地区；

10 全年静风频率超过60%的地区。

3.0.14 含有洁净厂房的医药企业的厂址选择，应符合下列要求：

1 应设置在大气含尘浓度、含菌浓度和有害气体浓度低，且自然环境好的区域；

2 宜远离铁路、码头、机场、交通要道，以及散发大量粉尘和有害气体的工厂、仓储、堆场，应远离严重空气污染、水质污染、震动和噪声干扰的区域；不能远离上述区域时，应位于其全年最小频率风向的下风侧。

3.0.15 医药工业洁净厂房新风口与市政交通主干道近基地侧道路红线之间的距离宜大于50m。

4 总平面布置

4.1 一般规定

4.1.1 总平面布置应在总体规划的基础上，根据工厂的性质、规模、生产流程、交通运输、环境保护、防火、安全、卫生、施工、检修、生产、经营管理、厂容厂貌及厂区发展等要求，结合场地自然条件进行布置，经方案比较后择优确定。

4.1.2 总平面布置应符合下列要求：

1 应符合国家有关用地控制指标的规定和所在地城市规划主管部门的有关规定；

2 建(构)筑物在符合生产流程、操作规程、使用功能、防火、安全及卫生等要求下，宜多层布置；

3 应按功能分区确定通道宽度；

4 厂区、功能分区及建(构)筑物的外形宜规整；

5 行政办公及生活服务设施，宜根据使用功能要求，进行平面和空间组合。

4.1.3 总平面布置的预留发展用地，应符合下列要求：

1 分期建设的工厂，近、远期工程应统一规划。近期工程应集中、紧凑、合理布置，并应与远期工程合理衔接。

2 远期工程用地应预留在厂外。

3 除应满足生产设施发展用地外，还应满足与生产配套的其他设施的相应发展用地。

4 在预留发展用地红线内，不得修建永久性建(构)筑物等设施。

4.1.4 厂区总平面应按功能分区布置，可分为生产区、辅助生产区、仓储区、动力公用设施区、行政办公和生活服务区。辅助生产和动力公用设施也可布置在生产区内;非甲、乙类的仓储设施也可与生产厂房联体布置。

4.1.5 厂区通道宽度应符合防火、安全、卫生间距的要求;应满足各种管线、管廊、道路、运输设施、竖向设计、绿化等布置要求;应符合施工、安装、检修的要求;同时宜满足建筑高度、造型和厂区空间塑造的需要。

4.1.6 总平面布置应充分利用地形、地势、工程地质条件及水文地质条件,布置建(构)筑物和有关设施,应减少土(石)方工程量和基础工程费用。当地形坡度较大时,建(构)筑物和生产装置的长边宜顺地形等高线布置。

4.1.7 总平面布置应根据当地气象条件和地理位置等,使建筑物具有良好的朝向、采光和自然通风。行政办公、质检、研发、生活服务等建筑物及原料药生产车间,宜按南北朝向布置。

4.1.8 散发有害气体和粉尘的半敞开式厂房,平面不应设计成U形、山形。

4.1.9 甲、乙类厂房布置成U形、山形时,应符合下列要求:

1 厂房四周应设置环形消防车道;

2 相邻两翼的建筑连接部分不宜布置甲、乙类生产区域;

3 当厂房任一翼为甲、乙类生产区域时,该翼与相邻翼之间的建筑连接部分应设置穿过建筑物的消防通道,通道的净宽不应小于6m,净高不应小于4m。

4.1.10 总平面布置应防止或减少有害气体、烟、雾、粉尘、强烈震动和强噪声对周围环境的污染和危害。

4.1.11 总平面布置应合理组织人流、货流,并应减少人流、货流交叉。运输线路的布置应使物流短捷、顺畅。

4.1.12 总平面布置应使建筑群体和空间景观与周边环境相协调。

4.2 生产设施

4.2.1 生产设施的布置应根据工艺流程、防火、安全、卫生、施工、安装、维修和生产操作等要求，以及人流、货流的组织等条件确定。相同性质的生产设施或生产上有密切联系的建(构)筑物宜邻近布置。

4.2.2 医药洁净厂房应布置在厂区内环境整洁，且人流、货流不穿越或少穿越的地段，并应位于散发有害气体、烟、雾、粉尘的污染源全年最小频率风向的下风侧，同时应符合现行国家标准《医药工业洁净厂房设计规范》GB 50457 的有关规定。

4.2.3 可能散发可燃气体的设施，宜布置在明火或散发火花地点的全年最小频率风向的上风侧；在山区或丘陵地区时，不应布置在窝风地段。

4.2.4 可能泄漏、散发有毒、有害或腐蚀性气体、粉尘的设施，不应布置在人员集中活动场所，并应布置在该场所及其他主要生产设备区全年最小频率风向的上风侧。

4.2.5 青霉素类等高致敏性药品的生产厂房，应位于其他生产厂房全年最小频率风向的上风侧。

4.2.6 高致敏性药品或生物制品等特殊性质的药品，必须采用专用和独立的生产厂房。

4.2.7 血液制品的生产厂房应为独立建筑物，不得与其他药品共用。

4.2.8 毒、麻及其他特殊药品的生产厂房宜为独立建筑物。

4.3 公用设施

4.3.1 公用设施的布置，宜接近负荷中心或靠近主要用户，也可布置在生产厂房内。

4.3.2 总变电站(所)的布置，应符合下列要求：

1 应靠近厂区边缘、进出线方便的地势较高地段；

2 不应布置在强烈振动设施附近；

3 不应布置在多尘、有腐蚀气体和有水雾的场所，并应布置在多尘、散发较空气重的可燃气体、腐蚀性气体场所全年最小频率风向的下风侧和有水雾的场所冬季盛行风向的下风侧。

4.3.3 燃煤锅炉房的布置，除应符合现行国家标准《锅炉房设计规范》GB 50041 的有关规定外，尚应符合下列要求：

1 宜布置在厂区边缘；

2 应布置在全厂全年最小频率风向的上风侧；

3 应靠近高压蒸汽用户；

4 当采取自流回收冷凝水时，宜布置在地势较低且不窝风的地段。

4.3.4 燃油、燃气锅炉房的布置，宜靠近用热集中的设施，并应符合现行国家标准《锅炉房设计规范》GB 50041 的有关规定。

4.3.5 给水净化站的布置，宜靠近水源地或主要用户，并应位于环境洁净、给水总管短捷的地段。

4.3.6 循环水冷却设施的布置，应位于所服务的生产设施附近。冷却塔宜布置在通风良好的开阔地段，并应避免粉尘和可溶于水的化学物质的影响，同时不应靠近加热锅炉等热源体。

4.3.7 污水处理站(场)宜位于厂区边缘，且地势及地下水位较低处，宜靠近产生污水量最大的生产设施，并宜布置在厂区全年最小频率风向的上风侧，同时应避免对周边环境产生影响。

4.3.8 生产区的初期雨水收集池和受污染消防水的收集池，宜布置在邻近污水处理站(场)及厂区边缘雨水排水管出口地段。

4.3.9 压缩空气站的布置，应符合下列要求：

1 应符合现行国家标准《压缩空气站设计规范》GB 50029 的有关规定。

2 宜布置在空气洁净的地段，避免靠近散发爆炸性、腐蚀性和有害、有毒气体及粉尘场所，并应位于散发爆炸性、腐蚀性和有害、有毒气体及粉尘场所全年最小频率风向的下风侧。

3 压缩空气站的朝向应结合地形和气象条件布置。储气罐宜布置在压缩机房的北侧，并宜避免阳光直射。

4 不应布置在对噪声、震动有防护要求的场所附近，间距应符合现行国家标准《工业企业总平面设计规范》GB 50187 的有关规定。

4.3.10 冷冻站的布置，应符合下列要求：

1 宜布置在通风良好的地段，并应避免靠近热源和人员集中场所；

2 宜位于散发爆炸性、腐蚀性和有害、有毒气体及粉尘的场所全年最小频率风向的下风侧；

3 附有湿式空冷器的冷冻站，不应布置在受水雾而产生危害的设施的全年盛行风向的上风侧。

4.3.11 氧（氮）气站的布置，应符合下列要求：

1 应符合现行国家标准《氧气站设计规范》GB 50030 的有关规定；

2 宜布置在空气洁净的地段；

3 空分设备的吸风口应位于二氧化碳气体发生源、乙炔或其他烃类、气体和尘埃等设施的全年最小频率风向的下风侧。

4.4 仓储设施

4.4.1 仓库与堆场应根据储存物料的性质、数量、包装、货流出入方向等条件，按不同类别相对集中布置，并宜靠近相关装置和运输线路，同时应符合国家现行有关防火、防爆、安全、卫生的规定。

4.4.2 制剂类的原料和成品库宜靠近制剂车间布置。

4.4.3 可燃液体罐区的布置，除应符合现行国家标准《建筑设计防火规范》GB 50016 的有关规定外，还应符合下列要求：

1 宜相应集中布置在厂区边缘，且地势较低而不窝风的安全地段；

2 应远离明火或散发火花的地点；

3 **与罐区无关的管线、输电线严禁穿越罐区；**

4 当临近江、河、湖、海岸边布置时，应位于附近城镇、居民区、企业、码头、桥梁的下游地段，并应采取防止液体流入江、河、湖、海的措施。

4.4.4 易燃及可燃材料堆场的布置，宜位于厂区边缘，并应远离明火或散发火花的地点。

4.5 生产管理及其他设施

4.5.1 生产管理、生活服务设施的布置，应位于厂区全年最小频率风向的下风侧，并应设置机动车和非机动车的停车场。

4.5.2 实验动物房的设置，应符合下列要求：

1 符合现行国家标准《实验动物设施建筑技术规范》GB 50447 的有关规定；

2 宜独立布置在空气质量较好、环境安静的区域；

3 宜布置在厂区全年最小频率风向的下风侧；

4 周围不应种植影响实验动物生活环境的植物。

4.5.3 厂区出入口的设置，应符合下列要求：

1 出入口的位置和数量，应根据工厂规模、厂区用地面积和当地规划要求等因素综合确定，数量不宜少于 2 个；

2 人流、货流出入口应分开设置。

4.5.4 厂区围墙应根据工厂性质和所在地的规划要求设置。围墙至建筑物、道路等的间距应符合现行国家标准《工业企业总平面设计规范》GB 50187 的有关规定。

4.5.5 工厂消防站的设置及规模，应根据企业的性质、生产规模、火灾危险性、消防设施的配置、邻近协作单位的条件等因素确定。消防站的布置应符合下列要求：

1 消防站的设置应使消防车能迅速、方便地通往厂区内各街区，并应能顺畅地通往厂外；

2 消防站的服务范围应符合下列要求：

1）至甲、乙类火灾危险场所最远点行车路程不宜大于 2.5km，且接到火警后消防车到达火场的时间不宜超过 5min；

2）至丙、丁、戊类火灾危险场所最远点不宜大于 4km；

3）超出服务半径的场所，应设消防分站或采取其他灭火措施。消防分站服务范围应与消防站相同。

5 竖向设计

5.1 一般规定

5.1.1 竖向设计应符合下列要求：

1 应符合所在地城镇规划中有关竖向规划的要求。

2 应与总平面设计同时进行。

3 应与厂区外现有或规划道路、排水系统、周围场地标高相协调。

4 应满足生产、运输要求。

5 应使场地不受洪水、潮水及内涝水淹没。

6 应因地制宜、充分利用与合理改造地形，并应减少土（石）方、建（构）筑物基础、护坡和挡土墙等工程量。

7 山区或丘陵地区建厂，应防止产生滑坡、塌方，应保护植被。

8 场地雨水排除应顺畅。应充分利用和保护现有排水系统，必须改造时，应保证新的排水系统水流顺畅。

9 改建、扩建工程应与现有场地的竖向状况相协调。

10 分期建设的工程，近、远期的竖向设计应相互协调。

11 应适应厂区景观要求。

5.1.2 竖向布置方式应根据场地的地形和地质条件、厂区面积、建筑物大小、建筑密度、管线敷设、生产工艺、运输方式、施工方法等因素进行选择，可选择平坡式、阶梯式和混合式。自然地形坡度小于或等于 2%时，宜采用平坡式；自然地形坡度大于 2%时，宜采用阶梯式或混合式。

5.1.3 场地平整宜采用连续式或重点式，并应根据地形和地质条件、厂区面积、建筑物大小、建筑密度、管线敷设、生产工艺、运输方式、施工方法等因素确定。

5.2 设计标高的确定

5.2.1 场地设计标高的确定，应符合下列要求：

1 应保证场地不被洪水、潮水和内涝水淹没；

2 应便于生产联系、运输，并应满足排水要求；

3 应与所在地城镇、相邻企业的标高相协调；

4 应与厂区周边市政道路、排水设施的标高相协调；

5 平坦地区，场地设计标高应高于场地自然地形标高；

6 在满足本条第1款～第5款的前提下，应使土(石)方工程量小、填、挖方平衡，且运距短。

5.2.2 厂区不应受江、河、湖、海的洪水或内涝水威胁，防洪标准应按现行国家标准《化工企业总图运输设计规范》GB 50489的有关规定执行。场地设计标高的确定应符合下列要求：

1 场地设计标高，应高于防洪标准确立的设计频率水位至少0.5m的安全超高值，当有波浪侵袭或有壅水现象时，尚应加上波浪侵袭高度或壅水高度；

2 当按本条第1款确定的场地设计标高填方量大时，经技术经济比较后，可采用设防洪(潮)堤的方案，并应采取防、排内涝的措施，且场地的设计标高可不作规定。

5.2.3 场地的平整坡度应有利于排水，最大坡度应根据土质、植被、铺砌材料、运输等条件确定，最小坡度不宜小于0.3%。

5.2.4 建筑物室内外地坪高差的确定，应符合下列要求：

1 应满足生产工艺和运输的要求。

2 一般生产、仓库及辅助生产的建筑物宜为0.15m～0.30m，且不应小于0.15m；办公、质检及生活服务设施等建筑物宜为0.30m～0.60m。

3 储存遇水产生化学反应的物品的仓库，建筑物室内外地坪高差应至少为0.60m。

4 露天生产装置区地坪的设计标高宜高于周边场地0.10m～

0.30m。

5.2.5 在满足生产工艺和运输的要求下，建筑物室内地坪可做成台阶。

5.2.6 汽车装卸站台高度应按选用汽车车厢底板高度确定，宜采用0.70m～1.50m；集装箱汽车装卸站台高度应按选用汽车的吨位和集装箱尺寸确定，宜采用1.20m～1.65m。

5.2.7 厂内外道路、排水管沟等连接点标高的确定，应按其线路平面、纵断面的要求确定。厂区出入口的路面标高宜高出厂外路面标高；当低于厂外路面标高时，应采取防止厂外雨水流入厂内的截水措施。

5.3 阶梯式竖向设计

5.3.1 阶梯式竖向设计台阶的划分，应符合下列要求：

1 应与地形和总平面布置相适应；

2 联系紧密的生产设施、建(构)筑物应布置在同一台阶或相邻台阶上；

3 台阶的划分不宜大量切坡或高填土；

4 台阶的长边宜平行于等高线布置；

5 台阶的宽度应满足建(构)筑物、室外设备、运输线路、管线和绿化等布置要求，以及操作、检修、消防和施工等需要。

6 台阶的高度应按生产要求、地形、地质条件，结合台阶间的运输联系和基础的埋置深度等因素综合确定，并宜取1m～4m。

5.3.2 相邻台阶之间的连接方式，应根据场地条件、地质条件、台阶高度、荷载要求、景观和卫生要求等因素，进行综合技术经济比较后确定，可采用自然放坡、护坡、护墙或挡土墙等形式。

5.3.3 台阶边缘至建(构)筑物的距离，应满足生产操作、管线敷设、交通运输、消防、施工和检修等要求。台阶坡脚至建(构)筑物的距离尚应满足采光、通风、排水的要求，并应避免开挖基槽对边坡或挡土墙的影响，且不应小于2m；台阶坡顶至建(构)筑物的距离尚应避免建(构)筑物基础侧压力对边坡或挡土墙的影响,并应符合现行国家标准《建筑地基基础设计规范》GB 50007 的有关规定,且不得小于 2.5m。

5.3.4 场地挖方、填方边坡的坡度允许值,应根据地质条件、边坡高度和拟采用的施工方法,结合当地的实际经验确定,且应符合现行国家标准《工业企业总平面设计规范》GB 50187、《建筑边坡工程技术规范》GB 50330 的有关规定。

5.3.5 台阶高度大于或等于 1.2m 且侧面临空时,应设置防护栏等防护设施。

5.4 场地排水

5.4.1 场地排水应清、污分流,并应有完整、有效的雨水排水系统。场地雨水的排水方式,应结合场地所在地区的雨水排除方式、工厂性质、工程管线、运输道路和建筑密度、环境卫生要求等因素,选择暗管、明沟或自然渗透等方式。厂区宜采用暗管排水。

5.4.2 当采用明沟排水时,排水沟宜沿道路布置,并宜避免与其交叉。场地雨水不得任意排泄至厂外,应避免对其他工程设施或农田造成危害。

5.4.3 场地雨水排水设计流量及水力计算,应符合现行国家标准《室外排水设计规范》GB 50014 的有关规定。

5.4.4 雨水明沟的设计应符合下列要求:

1 雨水明沟的铺砌方式,应根据所处地段的地质情况和流速等情况确定。厂区明沟应进行铺砌,对厂容、卫生和安全要求较高的地段,应加设盖板。

2 雨水明沟的断面型式,宜采用矩形或梯形。

3 明沟起点及分水点的深度,不宜小于 0.2m,盖板明沟不宜小于 0.3m。矩形明沟的沟底宽度不宜小于 0.4m;梯形明沟的沟底宽度不宜小于 0.3m。明沟的纵坡不宜小于 0.3%;在地形平坦的困难地段，最小纵坡不应小于0.2%；有腐蚀介质的明沟不宜小于0.5%。

4 按流量计算设计的明沟，其沟顶应高于设计水面0.2m以上。

5 明沟边缘距建筑物基础外缘不宜小于3m。

5.4.5 当采用暗管排水时，雨水口应位于集水方便、与雨水管道连接短捷的地段。雨水口的间距宜采用25m～50m；当道路纵坡大于2%时，雨水口的间距可大于50m。雨水口的型式、数量和布置，应按汇水面积所产生的流量、雨水口的泄水能力及道路型式确定。当道路交叉口为最低标高时，应增设雨水口。

5.4.6 煤堆场的雨水排水设计应符合下列要求：

1 煤堆场两侧宜设置1.0m～1.5m高的挡煤墙，墙体应设泄水孔，孔间距宜为3m～5m；

2 煤堆场周围宜设排水沟和沉淀池，排水沟和沉淀池应设在挡煤墙外侧3m～5m处。

5.4.7 在山坡地带建厂时，应在厂区上方设置截水沟。截水沟至厂区挖方坡顶的距离不宜小于5m。当挖方不高且土质良好或截水沟经铺砌加固时，截水沟至厂区挖方坡顶的距离不应小于2.5m。

5.4.8 截水沟不应穿过厂区。当确有困难必须穿过时，应从建筑密度较小、管线、道路较少的地段穿过，穿过地段的截水沟应加铺砌，并应确保厂区不受水害。

5.5 土(石)方工程

5.5.1 场地平整土(石)方量的计算方法可采用方格网法和断面法。方格网的边长和断面的间距应根据设计阶段、场地地形复杂程度、厂区面积大小和计算精度要求确定，宜采用20m～50m。自然地形复杂或设计地面突变处，可根据需要增加方格和断面。

5.5.2 场地平整土(石)方的填方和挖方量宜基本平衡。

5.5.3 场地平整土(石)方工程的施工要求及质量,应符合现行国家标准《岩土工程勘察规范》GB 50021和《建筑地基基础工程施工质量验收规范》GB 50202的有关规定。

6　厂区道路设计

6.1　一般规定

6.1.1　厂区道路应满足生产、运输、消防、安全、卫生、施工、安装及检修的要求。

6.1.2　厂区道路网的布局应与总平面布置功能分区相结合，宜与主要建(构)筑物轴线平行或垂直，并宜呈环行布置。

6.1.3　主、次干道布置应符合人、货分流的要求。

6.1.4　厂区道路布置应与竖向设计相协调，并应有利于场地及道路的雨水排除。

6.1.5　厂内道路与厂外道路的衔接应短捷、顺畅。

6.1.6　厂内道路不宜中断，当出现尽头时，其尽端应设置回车场，回车场的长宽尺寸应根据所通行的车辆最小转弯半径和道路宽度确定。

6.1.7　厂内道路宜选用城市型道路结构。厂内道路宜采用高级或次高级路面，车间引道做法可与其相连道路相同。对防尘、防震、防噪声要求高的路段，宜选用沥青路面。

6.1.8　医药工业洁净厂房周围的道路面层，应选用整体性好、发尘少的材料。医药工业洁净厂房周围宜设置环行消防车道，如有困难时，可沿厂房的两个长边设置消防车道。

6.1.9　厂内道路布置尚应符合现行国家标准《厂矿道路设计规范》GBJ 22、《建筑设计防火规范》GB 50016 的有关规定。

6.2　道路平面设计

6.2.1　厂内道路路面宽度应根据车辆通行、消防和人行需要确定，并宜符合下列要求：

1　路面宽度宜按表 6.2.1 确定。

表 6.2.1 厂内道路路面宽度(m)

道路类别	路面宽度		
	大型厂	中型厂	小型厂
主干道	9.0～12.0	7.0～9.0	6.0～7.0
次干道	7.0～9.0	6.0～7.0	4.0
支道	4.0		—
车间引道	可与该引道连通的厂房门口坡道相适应		

注:1 大型厂厂区面积在 $120hm^2$ 以上的厂区主干道路面宽度可采用 15m;

2 主干道、次干道、支道和车间引道的释义应符合现行国家标准《厂矿道路设计规范》GBJ 22 的有关规定。

2 各类道路可根据需要,分段采用不同宽度。不同宽度线段宜在道路交叉口处划分。

6.2.2 厂内道路最小圆曲线半径不宜小于 15m。厂内道路交叉口路面内边缘转弯半径应根据行驶车辆的类别确定,不宜小于 9m;困难时,可减少至 6m。供大型消防车通行的单车道路路面内边缘转弯半径不应小于 12m。

6.2.3 厂内道路平面交叉,应设在直线路段,并宜正交,当需要斜交时,交叉角不宜小于 45°。

6.2.4 厂内道路在平面转弯处的视距,不应小于表 6.2.4 的规定。

表 6.2.4 平面转弯处的视距(m)

视距类别	视 距
停车视距	15
会车视距	30
交叉口停车视距	20

注:1 当平面转弯处的视距不符合规定时,横净距以内和交叉口视距三角形范围内的障碍物,除对视线防碍不大的稀疏树木或单个管线支架、电杆、灯柱等可保留外,其他应清除;

2 当场地条件受限制,采用会车视距困难时,可采用停车视距,但应设置分道行驶的设施或其他设施;

3 当场地条件受限制时,交叉口停车视距可采用 15m。

6.2.5 大、中型厂的主、次干道，当人流集中、采用混合交通影响行人安全时，应设置人行道。经常通过行人而无道路的地方，应设置人行道。人行道的设置应符合下列要求：

1 主干道两侧的人行道宽度，不宜小于1.5m；其他人行道的宽度，不宜小于0.75m。当人行道宽度超过1.5m时，可按0.5m的倍数递增，但最多不得超过3m。

2 人行道面宜高出附近路面（地面）0.1m～0.15m；也可与道路路面高度一致，但应通过颜色等交通标志区分。

3 人行道边缘至建筑物外墙的净距，当屋面为无组织排水时，可采用1.5m；当屋面为有组织排水时，应根据具体情况确定。

6.2.6 厂内道路边缘至建（构）筑物的最小距离，应符合表6.2.6的规定。

表6.2.6 厂内道路边缘至建（构）筑物的最小距离（m）

序号	建（构）筑物	最小距离
1	建筑物外墙面一侧无出入口	1.5
2	建筑物外墙面一侧有出入口，但不通行车辆	3.0
3	建筑物外墙面一侧有出入口，且通行车辆	6.0
4	各种管架及构筑物支架外边缘	1.0
5	照明电杆中心线	0.5
6	围墙内边缘	1.0

注：厂内道路主干道边缘至医药洁净厂房外墙的距离，不宜小于10m；其他道路至医药洁净厂房外墙的距离，不宜小于6m。

6.3 道路竖向设计

6.3.1 厂内道路的最大纵坡应符合表6.3.1的规定。

表6.3.1 厂内道路的最大纵坡

厂内道路类别	主干道	次干道	支道、车间引道
最大纵坡（%）	6	8	9

注：1 在海拔3000m以上地区，厂内道路最大纵坡值的折减应符合现行国家标准

《厂矿道路设计规范》GBJ 22 的有关规定。

2 道路纵坡变化处的两相邻坡度代数差大于 2%时，应设竖曲线，竖曲线半径不应小于 100m，长度不应小于 15m。

3 当场地条件困难时，主干道的最大纵坡可增加 1%；其他道路的最大纵坡可增加 2%。但在海拔 2000m 以上地区，不得增加；在寒冷冰冻、积雪地区，不应大于 8%。

4 经常运输易燃、易爆危险品专用道路的最大纵坡，不得大于 6%。

6.3.2 厂内主、次干道平面交叉处的纵坡不宜大于 2%，坡长从路面两侧向外算起，各不应小于 16m(不包括竖曲线长度)。紧接路段的纵坡，不宜大于 3%；困难地段，不宜大于 5%。

6.3.3 人行道的纵坡超过 8%时，宜设粗糙面层或踏步，危险地段应设护栏。

6.3.4 厂内道路宽度为 4m 及以下时宜采用单向横坡，大于 4m 宽度的道路宜采用双向横坡。横坡坡度宜为 1%～2%。

6.4 停 车 场

6.4.1 厂区内应根据企业实际需求设置小汽车、通勤车、救护车等日常用车停车场，以及非机动车停车场，并应根据工厂物流运输情况设置货车停车场。

6.4.2 小汽车停车场和非机动车停车场宜靠近人流主出入口，并应与厂内道路连接顺畅。货车停车场宜靠近货流主出入口。

6.4.3 汽车衡可根据货物运输需要设置，宜布置在货运进出口(重车行驶方向的右侧)位置。进车端的道路应为平坡直线段，其长度不宜小于 2 辆车长。在困难情况下，不应小于 1 辆车长；出车端的道路应有不小于 1 辆车长的平坡直线段。

7 管线综合设计

7.1 一般规定

7.1.1 管线综合布置应与工厂总平面布置、竖向设计、绿化布置相结合，统一设计。应使各管线之间、管线与建(构)筑物、管线与道路之间在平面和竖向上相互协调、紧凑合理、有利厂容。

7.1.2 管线的敷设方式，应根据管线内介质的性质、地形、生产安全、交通运输、施工、检修等因素，经技术经济比较后确定。

7.1.3 管线综合布置应在满足生产、安全、施工和检修的要求下节约用地，有条件的管线宜共架、共沟敷设。

7.1.4 有可燃性、爆炸危险性、毒性、腐蚀性介质的管道，宜采用地上敷设。原料药厂区的污水管道宜采用地上敷设。

7.1.5 管线应敷设在规划的管线带内，管线带应与道路或建筑红线相平行或垂直。

7.1.6 管线综合布置应减少与道路和其他干管交叉。必须交叉时，交叉角不应小于45°。

7.1.7 有可燃性、爆炸危险性、毒性、腐蚀性介质的管道，不应穿越与其无关的建(构)筑物、生产装置、辅助生产及仓储设施等。

7.1.8 分期建设的工厂，管线布置应全面规划、近期集中，并应近远期结合。近期管线穿越远期用地时，不得妨碍远期用地的使用。

7.1.9 山区建厂时，管线敷设应充分利用地形，并应避免山洪、泥石流及其他不良地质的危害。

7.1.10 管线综合布置时，干管应布置在主用户较多的一侧或将管线分类布置在道路两侧。

7.1.11 管线宜按下列顺序，自建筑红线向道路方向综合布置：

1 电信电缆；

2　电力电缆；

3　热力管道；

4　各种工艺管道及压缩空气、氧气、氮气、煤气、天然气等管道、管廊或管架；

5　生产及生活给水管道；

6　消防水管道；

7　工业废水(生产废水和生产污水)管道；

8　生活污水管道；

9　雨水排水管道；

10　照明电缆及杆柱。

7.2　地下管线

7.2.1　地下管线、管沟的布置应符合下列要求：

1　应按管线的埋深，自建筑红线向道路方向由浅至深布置；

2　管线和管沟不应布置在建(构)筑物的基础压力影响范围内；

3　道路路面下可布置检修少或检修时对路面损坏小的管线；

4　直埋式地下管线不应平行重叠敷设。

7.2.2　地下管线综合布置，应符合下列要求：

1　压力管应让自流管；

2　管径小的应让管径大的；

3　易弯曲的应让不易弯曲的；

4　临时性的应让永久性的；

5　工程量小的应让工程量大的；

6　新建的应让现有的；

7　检修方便的或检修次数少的应让检修不方便的或检修次数多的。

7.2.3　地下管线交叉布置时，应符合下列要求：

1　给水管道应在排水管道上面；

2 可燃气体管道应在其他管道(除热力管道外)上面;

3 电力电缆应在热力管道下面、其他管道上面;

4 氧气管道应在可燃气体管道下面、其他管道上面;

5 有腐蚀性介质的管道及酸性、碱性排水管道应在其他管道下面;

6 热力管道应在可燃气体管道和给水管道上面。

7.2.4 地下管线的管顶覆土厚度,应根据上部荷载的大小及分布、管材强度、土壤冻结深度等条件确定。

7.2.5 地下管线穿越道路时,其管顶至道路路面结构层底的垂直净距不应小于 0.5m。当不能满足时,应加防护套管或设管沟,其两端应伸出道路路面至少 1m。

7.2.6 地下管线不应敷设在有腐蚀性物料的包装、灌装、堆存及装卸场地的下方,且与有腐蚀性物料的包装、灌装、堆存及装卸场地的边界水平间距不应小于 2m;地下管线不应布置在有腐蚀性物料的包装、灌装、堆存及装卸场地的地下水下游方向,当无法避免时,地下管线与有腐蚀性物料的包装、灌装、堆存及装卸场地的边界水平间距不应小于 4m。

7.2.7 管线共沟敷设应符合下列要求:

1 热力管道不应与电力、通信电缆和压力管道共沟。

2 排水管道应布置在沟底。当沟内有腐蚀性介质管道时,排水管应位于其上面。

3 腐蚀性介质管道的标高,应低于沟内其他管线。

4 火灾危险性属于甲、乙类的液体、可燃气体、毒性气体和液体、腐蚀性介质管道,不应共沟敷设,并不应与消防水管共沟敷设。

5 凡有可能产生相互影响的管线不应共沟敷设。

6 共沟敷设的地下管沟外壁与地下建(构)筑物基础的水平距离,应满足施工要求。与乔木的最小水平距离宜为 3m,与灌木的最小水平距离宜为 2m。

7.2.8 地下管线之间的最小水平间距,以及地下管线与建(构)筑物之间的最小水平间距，应符合现行国家标准《工业企业总平面设计规范》GB 50187 的有关规定。

7.3 地上管线

7.3.1 地上管线的敷设，可采用管架式、低架式、建筑物支撑式和地面式。敷设方式应根据生产安全、介质性质、生产操作、维修管理、交通运输和厂容等因素综合确定。

7.3.2 火灾危险性属于甲、乙类的液体、可燃气体、毒性气体和液体、腐蚀性介质管道等，均宜采用管架敷设。

7.3.3 敷设有甲、乙类火灾危险性、腐蚀性、可燃气体、毒性介质的管道，除使用该管线的建(构)筑物外，均不得采用建筑物支撑式敷设。

7.3.4 管架的布置应符合下列要求：

1 管架的净空高度及基础位置不得影响交通运输、消防及检修；

2 不应妨碍建筑物的自然采光和通风；

3 可燃气体、可燃液体的管道，不得穿越或跨越与其无关的生产单元或设施。

7.3.5 架空电力线路不应跨越可燃性材料建造的屋顶和生产火灾危险性属于甲、乙类的建(构)筑物，以及储存可燃性、爆炸性物料的仓库区和罐区。其布置尚应符合国家现行标准《66kV 及以下架空电力线路设计规范》GB 50061 和《110～500kV 架空送电线路设计技术规程》DL/T 5092 的有关规定。

7.3.6 引入厂区的 35kV 及以上的架空高压输电线路，应减少厂区内的长度，并应沿厂区边缘布置。

7.3.7 管架与建(构)筑物之间的最小水平间距，应符合现行国家标准《化工企业总图运输设计规范》GB 50489 的规定。

7.3.8 架空管线、管架跨越铁路、道路的最小净空高度应符合现行国家标准《化工企业总图运输设计规范》GB 50489 的规定。

8 绿化设计

8.1 一般规定

8.1.1 医药工业企业的绿化设计应符合医药工业区总体规划要求，应与厂区总平面布置、竖向设计及管线布置统一进行，并应与周围环境和建(构)筑物相协调，同时应合理安排绿化用地。

8.1.2 绿化设计应符合下列要求：

1 应根据医药生产性质、生产火灾危险性类别、环境卫生及厂容、景观的要求，结合当地自然、环境条件、植物生态习性、抗污性能和苗木来源，因地制宜进行设计，并应合理确定各类植物的配置方式；

2 绿化设计不应妨碍生产操作、设备检修、交通运输、管线敷设和维修，不应影响消防作业和建筑物的采光、通风；

3 应充分利用厂区非建筑地段及零星空地、护坡等进行绿化；应利用管架、栈桥、架空线路等设施的下面及地下管线带上面的场地布置绿化。

8.1.3 医药工业企业绿化，应以绿为主，并应符合下列要求：

1 应净化空气、减轻污染、保护环境、改善卫生条件；

2 应调节气温、湿度和日晒，抵御风沙、减弱噪声，并应改善小气候；

3 应加固坡地、堤岸，并应稳定土壤、防止水土流失；

4 应美化厂容，并应创造良好的工作、生活环境。

8.1.4 医药工业企业绿化植物选择，应符合下列要求：

1 应选择抗污染、衰噪和滞尘能力强，且净化大气效果好的植物；

2 应选择生长速度快、适应性强，且符合防火、卫生和安全要求的植物；

3 应选择易成活、移植、病虫害少和养护管理方便的植物；

4 应选择树木形态美观、挺拔的植物；

5 不应种植易散发花粉、有异味或对药品生产产生不良影响的植物；

6 应选用当地树种作为骨干树种，选择苗木来源方便的乡土植物。

8.1.5 医药工业企业绿化设计指标应采用厂区绿地率，绿地率的计算方法应符合本规范附录 A 的规定。一般医药工业企业的绿地率不应小于 15%，且不应大于 20%；对生产环境医药洁净度要求高的药物制剂厂、生物制剂厂绿地率不应大于 30%。医药工业企业绿地率可按表 8.1.5 选用。

表 8.1.5 厂内绿地率(%)

绿化类别	医药工业企业	厂内绿地率
Ⅰ类	药物制剂、生物制剂等对环境洁净度要求高的企业	15～30
Ⅱ类	兼有制剂和原料药、中药提取等企业	15～25
Ⅲ类	原料药、中药提取、医用气体、医疗器械以及医用、药物辅料等的企业	15～20

8.2 绿化布置

8.2.1 医药工业企业的绿化布置，应以下列地段为重点：

1 工厂行政办公及生活服务设施区和主要出入口，以及主要道路两旁；

2 洁净度要求高的的生产设施周围；

3 散发有害气体、粉尘及产生高噪声的生产车间、装置及堆场周围；

4 需改善建筑物西晒和卫生条件的地段；

5 易受雨水冲刷的地段。

8.2.2 行政办公及生活服务设施区及工厂主要出入口的绿化设计，应符合下列要求：

1 行政办公及生活服务设施区绿化宜以景观效果为主。绿化布置及植物选择应与建筑物造型、建筑群体布置形式相协调，应具有空间艺术效果、利于人流活动。

2 工厂出入口的绿化应有利于出入交通。

3 行政办公及生活服务设施区与生产区之间可设置绿化用地。

8.2.3 医药洁净厂房及对大气有一定洁净度要求的设施周围，应种植对大气含尘、含菌不产生有害影响和不飞扬花絮或绒毛，且减滞粉尘能力强、净化大气效果好的树种，不应种植花卉，其附近地面宜敷设草皮。对大气洁净度要求高的工厂厂区地面，不得有裸露的土表地面，应敷设草皮。

8.2.4 散发有害气体的生产、储存和装卸设施周围，应种植对有害气体抗性和耐性强的树种，并应广植地被植物或草皮，且稀植矮小乔木、灌木，不应混合密植乔木、灌木，并应在适当地点栽植相应敏感性植物。

8.2.5 具有易燃、易爆特性的生产、贮存和装卸设施及火灾危险性较大的区域附近，不应种植含油脂较多及易着火的树种，应选择能减弱爆炸气浪和阻挡火势向外蔓延、根系深、枝叶茂密、含水分大、防爆及防火效果好的大乔木及灌木。其绿化布置，应保证消防通道的宽度和净空高度。

8.2.6 散发比空气重的可燃气体的生产、储存和装卸设施附近，绿化布置应注意通风，不应种植不利于较重气体扩散的绿篱及茂密的灌木丛。

8.2.7 散发粉尘的生产、储存和装卸设施周围或有防尘要求的设施附近，宜栽植枝叶茂密、叶面粗糙、叶片坚挺、有绒毛、滞尘力强的常绿树，并宜种植地被植物或草坪。

8.2.8 产生环境噪声污染的车间、生产装置或对防噪声要求较高的建筑物周围，宜选用分枝点低、枝叶茂密的常绿乔木，并宜与灌木相结合，组成紧密结构的复层防噪声林带。

8.2.9 循环水冷却设施周围的绿化布置及植物选择，不应妨碍冷却设施的冷却效果，不应污染水质，应选择湿生植物，并应符合下列要求：

1 冷却塔周围不应成排种植高大乔木，不应种植有绒毛、花絮的植物；

2 冷却塔附近地面可铺草皮、栽植灌木，也可分散种植单株小乔木，树木与冷却塔外壁的距离应大于2m。

8.2.10 污水处理场周围宜栽植高大的常绿乔木，曝气池周围的绿化布置不得影响通风，应选择抗性强的植物。

8.2.11 架空管线（包括架空电力线）和管廊的两侧，应种植耐修剪、根系浅的矮小乔木及灌木，架空管线（包括架空电力线）和管廊的下方可种植草皮。埋地管线（热力管道、直埋电缆除外）上部地面可种植草皮或栽植根系浅的灌木，当管线顶部埋深大于1.5m时，可种植小乔木。地上及地下管线附近的绿化布置不得妨碍管线的使用及检修。

8.2.12 厂内道路的两侧应布置行道树，主干道两侧可由各类树木组成多层次的行道绿化带，并应与工程管线及管廊的布置相配合。道路交叉口、弯道内侧处的绿化布置，应符合行车视距的有关规定。行道树宜选择主干挺直、树型优美、不妨碍卫生及道路两侧管线、耐修剪的乔木，可根据道路性质、型式，结合场地景观要求，配以灌木、草坪等。

8.2.13 在有条件的生产车间或建筑物墙面、挡土墙顶及护坡等地段，宜布置垂直绿化。

8.2.14 厂区围墙内宜沿周边道路种植行道树或设置绿化带。

8.2.15 树木与建（构）筑物及管线等之间的最小水平间距，应符合表8.2.15的规定。

表 8.2.15 树木与建(构)筑物及管线等之间的最小水平间距(m)

建(构)筑物及管线等		最小水平间距	
		至乔木中心	至灌木中心
建筑物外墙	有窗	3.0～5.0	1.5
	无窗	2.0	1.5
挡土墙顶内侧或墙脚(沟)外侧		2.0	0.5
围墙		2.0	1.0
栈桥和管架边缘及电杆中心		2.0	不限
道路路面边缘		1.0	0.5
人行道边缘		0.5	0.5
排水明沟边缘		1.0	0.5
管沟		3.0	1.5
给水管、排水管		1.0～1.5	不限
热力管		2.0	2.0
煤气管、天然气管		2.0	1.5
氧气管、压缩空气管		1.5	1.0
电缆		2.0	0.5

注:1 表中间距除注明者外,建(构)筑物自最外边轴线算起;城市型道路自路面边缘算起,公路型道路自路肩边缘算起;管线自管壁(沟壁)或防护设施外缘算起;电缆自最外一根算起。

2 树木至建筑物外墙(有窗时)的距离,当树冠直径小于5m时采用3m,大于5m时采用5m。

3 灌木中心至建(构)筑物距离系指灌木丛最外边的一株灌木中心。

4 树木至道路弯道内侧的间距,应满足视距要求。

8.2.16 树木与架空电力线路之间的最小间距,应符合国家现行标准《66kV及以下架空电力线路设计规范》GB 50061和《110～500kV架空送电线路设计技术规程》DL/T 5092的有关规定。

9 主要技术经济指标计算

9.0.1 医药工业总图运输设计，应结合工程具体情况，选择性地列出下列技术经济指标：

1 厂区总征地面积(m^2)；

2 厂区代征地面积(m^2)；

3 厂区建设用地面积(m^2)；

4 建(构)筑物占地面积(m^2)；

5 行政办公及生活服务设施占地面积(m^2)；

6 总建筑面积(m^2)；

7 计算容积率的总建筑面积(m^2)；

8 行政办公及生活服务设施建筑面积(m^2)；

9 道路停车场占地面积(m^2)；

10 绿地面积(m^2)；

11 容积率；

12 建筑系数(%)；

13 绿地率(%)；

14 厂区利用系数(%)；

15 行政办公及生活服务设施占地面积比率(%)；

16 围墙长度(m)；

17 机动车停车泊位(个)；

18 非机动车停车泊位(个)；

9.0.2 改建、扩建的医药工业总图运输设计，应结合现有设施，计算有关技术经济指标。

附录A　主要技术经济指标的计算

A.1　建筑系数

A.1.1　建筑系数应为厂区用地范围内各种建(构)筑物占(用)地面积的总和(包括露天生产装置和设施、露天堆场、操作场地的用地面积)与厂区建设用地面积的比率,按下式计算:

$$C=(A_1+A_2+A_3)/A\times100\% \tag{A.1.1}$$

式中:C——建筑系数;

A_1——建(构)筑物占地面积;

A_2——露天生产装置和设施用地面积;

A_3——露天堆场及操作场地的用地面积;

A——厂区建设用地面积。

A.1.2　厂区建设用地面积应为厂区用地红线内的用地面积,面积计算应按用地红线的坐标计算。

A.1.3　建(构)筑物占(用)地面积的计算,应符合下列要求:

1　建(构)筑物占地面积应按其外墙或结构外围水平面积计算。

2　圆形构筑物用地面积应按实际投影面积计算。

3　储罐区用地面积,设防火堤或围堰时,应按防火堤或围堰最外边计算;未设防火堤或围堰时,应按成组设备的最外边缘计算。

4　球罐用地面积,周围有铺砌场地时,应按铺砌面积计算;周围无铺砌场地时,应按球罐投影面积计算。

5　连廊、天桥、栈桥用地面积应按其外壁投影面积计算。

6　室外管廊用地面积,架空敷设时可按管架支柱间的轴线宽度加1.5m乘以管架长度计算;沿地敷设时应按其宽度加1.0m乘以管线带长度计算。

A.1.4 露天生产装置用地面积应按生产装置的界区范围面积计算;露天设备用地面积,独立设备应按其投影面积计算;成组设备应按场地铺砌范围计算,铺砌范围超出设备基础外缘1.2m时,可计算至设备基础外缘1.2m处。

A.1.5 露天堆场用地面积应按堆场场地边缘或实际地坪计算。

A.1.6 露天操作场地用地面积应按操作场地边缘或实际地坪计算。

A.2 容 积 率

A.2.1 容积率应为计算容积率的总建筑面积与厂区建设用地面积的比值,应按下式计算:

$$R=S/A \tag{A.2.1}$$

式中:R——容积率;

S——计算容积率的总建筑面积;

A——厂区建设用地面积。

A.2.2 计算容积率的总建筑面积的计算,应符合下列要求:

1 建(构)筑物计算面积,应按建(构)筑物的建筑面积计算;当建筑物层高超过8m时,该层建筑面积应加倍计算;高度超过8m的装置、容器等设施,其面积应加倍计算。

2 储罐区计算面积,设防火堤或围堰时,应按防火堤或围堰最外边计算;未设防火堤或围堰时,应按成组设备的最外边缘计算。

3 室外管廊计算面积,架空敷设时可按管架支柱间的轴线宽度加1.5m乘以管架长度计算;沿地敷设时应按其宽度加1.0m乘以管线带长度计算。

4 工艺装置计算面积,应按工艺装置铺砌界线计算。

5 露天堆场计算面积,应按堆场实际地坪计算。

6 露天设备计算面积,应按设备场地铺砌界线计算。

A.3 绿 地 率

A.3.1 绿地率应为厂区用地范围内各类绿化用地计算面积的总和与厂区建设用地面积的比率，按下式计算：

$$G=Ag/A\times 100\% \quad \text{(A.3.1)}$$

式中：G——绿地率；

Ag——厂区绿化用地计算面积总和；

A——厂区建设用地面积。

A.3.2 绿地应包括厂区集中绿地、建(构)筑物旁的绿地、道路绿地、建筑小品用地，以及用于厂区景观的水面，不应包括屋顶、晒台的人工绿地。

A.3.3 厂区绿地计算面积的起止界应为厂内道路、便道、人行道计算至路缘石外缘；建(构)筑物应距离墙脚 1.5m 起计算；围墙应计算至墙脚。

A.4 厂区利用系数

A.4.1 厂区利用系数应为厂区用地范围内各种建(构)筑物占(用)地面积、铁路和道路用地面积、工程管线用地面积的总和与厂区用地面积的比率，按下式计算：

$$B=[B_1+(S_1+S_2+S_3)/A]\times 100\% \quad \text{(A.4.1)}$$

式中：B——厂区利用系数；

B_1——建筑密度；

S_1——铁路用地面积；

S_2——道路用地面积；

S_3——工程管线用地面积；

A——厂区建设用地面积。

A.4.2 管线用地面积应按管线长度乘以管线计算宽度进行计算，管线计算宽度应符合下列要求：

1 地下管线及沟渠计算宽度应按管线外径沟渠外缘宽度加

1.0m 计算。

2 电缆计算宽度，电缆与管道相邻时，应按电缆敷设宽度加1.0m 计算；当电力电缆与电信电缆相邻敷设时，应按电缆敷设宽度加 0.75m 计算。

3 电杆计算宽度，应按宽 0.5m 计算。

4 敷设在管廊及道路下面的管线不得重复计算其用地面积。

A.4.3 道路用地面积（包括车间引道、人行道、停车场、回车场）应为道路长度乘以道路用地宽度。城市型道路用地宽度应按路面宽度计算；公路型用地宽度应计算到道路路肩边缘。车间引道、人行道、停车场、回车场用地面积，均应按设计用地面积计算。挡土墙、护坡、护墙等用地面积，应按实际投影面积计算。

本规范用词说明

1 为便于在执行本规范条文时区别对待，对要求严格程度不同的用词说明如下：

1）表示很严格，非这样做不可的：

正面词采用“必须”，反面词采用“严禁”；

2）表示严格，在正常情况下均应这样做的：

正面词采用“应”，反面词采用“不应”或“不得”；

3）表示允许稍有选择，在条件许可时首先应这样做的：

正面词采用“宜”，反面词采用“不宜”；

4）表示有选择，在一定条件下可以这样做的，采用“可”。

2 条文中指明应按其他有关标准执行的写法为：“应符合……的规定”或“应按……执行”。

引用标准名录

《建筑地基基础设计规范》GB 50007

《室外排水设计规范》GB 50014

《建筑设计防火规范》GB 50016

《岩土工程勘察规范》GB 50021

《厂矿道路设计规范》GBJ 22

《压缩空气站设计规范》GB 50029

《氧气站设计规范》GB 50030

《锅炉房设计规范》GB 50041

《66kV 及以下架空电力线路设计规范》GB 50061

《工业企业总平面设计规范》GB 50187

《防洪标准》GB 50201

《建筑地基基础工程施工质量验收规范》GB 50202

《建筑边坡工程技术规范》GB 50330

《实验动物设施建筑技术规范》GB 50447

《医药工业洁净厂房设计规范》GB 50457

《化工企业总图运输设计规范》GB 50489

《110～500kV 架空送电线路设计技术规程》DL/T 5092

中华人民共和国国家标准

医药工业总图运输设计规范

GB 51047 - 2014

条 文 说 明

制订说明

《医药工业总图运输设计规范》GB 51047—2014，经住房城乡建设部2014年12月2日以第649号公告批准发布。

为便于广大设计、施工、科研、制药企业等单位有关人员在使用本规范时能正确理解和执行条文规定，编制组按章、节、条顺序编制了本规范的条文说明，对条文规定的目的、依据以及执行中需注意的有关事项进行了说明，还着重对强制性条文的强制性理由作了解释。但是，本条文说明不具备与规范正文同等的法律效力，仅供使用者作为理解和把握规范规定的参考。

目　　次

1 总 则

1.0.1 本条为规范的制定目的。本规范规定的内容包括了医药工业总图运输设计的原则和技术要求。十分珍惜和合理利用每寸土地,切实保护耕地以及节能降耗,保护环境,这些是医药工业总图运输设计中必须遵守的原则。为贯彻实施国家工程建设各项方针政策规定,医药工业总图运输设计应该做到技术先进、节约用地、节约能源、保护环境、布置合理、生产安全、方便管理,保证产品质量,满足人民用药安全和健康所需,从而提高工程建设的经济效益、社会效益和环境效益。

1.0.2 本条为本规范的适用范围。规定了医药工业生产中的药物制剂、化学原料药、中药、生物制药、毒麻药品、放射性药物、医用气体、医疗器械、药物研发、中试、药物包材、医药仓储物流以及医用、药物辅料等生产企业的新建、扩建和改造的医药工业总图运输设计。

1.0.3 由于药品分类复杂,医药企业生产涉及化工、轻工、精密机械、生物制药等多种行业,其总图运输设计必然涉及诸多国家标准和行业规定,因此,医药工业总图运输设计除执行本规范外,还必须符合国家现行的其他有关标准、规范。如防火安全方面按现行国家标准《建筑设计防火规范》GB 50016 的有关规定执行;生产特殊环境要求方面按现行国家标准《医药工业洁净厂房设计规范》GB 50457 的有关规定执行;化学合成药物及中间体生产方面按现行国家标准《化工企业总图运输设计规范》GB 50489 等规范的规定执行。随着我国经济不断发展,以及药品生产工艺技术的不断提高和创新,我国医药工程设计人员应及时关注标准的修订和新标准的发布。

2 术 语

为了统一表述医药工程中出现的新名词、新概念，规范用词用语，编制术语部分以适应医药工业总图运输设计的需要。

3 厂址选择

3.0.1 厂址选择应遵守国家和地方的相关政策和法规，符合工程所在地的工业布局和总体规划要求，这是厂址选择的重要原则。选址应与城镇和工业区的总体规划相协调，这不仅有利于医药企业的生产和发展，还可促进城镇与工业区的发展。

厂区选择是一项政策性强、涉及面广的综合性技术经济工作。要力求经济合理、节约用地和减少工程投资。因此，做好调查研究和全面的技术经济分析及论证工作是选择一个好厂址的重要条件。

3.0.2 厂址应具有方便、经济的交通运输条件，这是保证日后企业正常生产运行的条件之一。“方便”即指运输线路短捷、快速，无需中转，如运输“一条龙服务”。“经济”即运费低、投资少、降低经营成本。

3.0.3 医药工业中，如化学合成药物及中间体等方面的生产，同许多化工企业一样水、电用量较大，充足、可靠的水源和电源，符合生产和生活要求的水质，同样也是保证企业正常运行所必需的。

3.0.4 厂址要满足企业建设必需的“场地面积”，是指厂区用地面积的大小能满足企业建设要求，这是选址最基本的条件之一。随着我国经济的不断发展、工业生产技术的不断更新进步，在做好全面规划的前提下，适当考虑企业的发展余地是合理的。

厂址应具有适宜的自然地形，避免地形破碎复杂，这有利于工厂总体布置、厂内运输、场地排水以及减少土(石)方工程量和建(构)筑物地基基础处理工程量。厂址自然地面坡度不宜大于5%。

3.0.5 本条根据现行国家标准《建筑地基基础设计规范》GB

50007 的要求，对建设工程需要的工程地质与水文地质作了原则规定。医药企业建（构）筑物荷载不同、对地基承载力要求大小不一。通常情况下，建筑物荷载较大的医药企业，其厂区场地土壤承载力不宜小于 0.15MPa；对建筑物荷载较小的企业场地土壤承载力不宜小于 0.1MPa。如土壤承载力不能满足工程建设需要时应采取加固措施。

对水文地质条件，通常要求厂区地下水水位低于建筑物基础埋深，并要求水质对基础无腐蚀。

3.0.6 为确保工厂安全，厂区场地不应受洪水、潮水和内涝的侵袭危害，其企业防洪标准按表 1 规定执行。若地区地段有可靠的防洪、排涝措施，如防洪墙、防洪堤能确保安全、厂区场地不受洪水、潮水、内涝威胁，则场地标高可低于洪水潮水及内涝水位，以节省土（石）方工程量。

表 1 企业防洪标准

等 级	企业规模	防洪标准[重现期（年）]
Ⅰ	特大型	200～100
Ⅱ	大型	100～50
Ⅲ	中型	50～20
Ⅳ	小型	20～10

表 1 中企业规模及划分应按国家有关规定执行。滨海地区的中型及以上的医药企业，按本表确定的设计高潮位低于当地历史最高潮位时，应采用历史最高潮位进行校核。当企业遭受洪水淹没后，损失巨大、影响严重、恢复生产所需时间较长时，其防洪标准可取表中的上限或提高一级；当企业遭受洪灾后，其损失和影响较小，很快可恢复生产时，其防洪标准按表 1 中规定的下限确定。辅助生产设施区如单独进行防护时，其防洪标准适当降低。但自备电站和全厂总变电站等对生产有较大直接影响的设施的防洪标准不降低。

3.0.7 本条是因为遭受水淹后可能引起爆炸或导致毒液、毒气、放射性等有害物质大量泄露、扩散的医药企业，其防洪标准比一般医药企业的要求更高，因其受水害后危害严重、祸及范围广，故采取专门的防洪防护措施。其标准是根据现行国家标准《防洪标准》GB 50201 的有关规定制定的。

3.0.8 本条为强制性条文。在山高坡陡的高山地区，大雨或暴雨后，因地形陡峭山水流速大，汇集快，短时间内流量骤增，形成巨大山洪，冲刷沟坎、坡脚。故应避开陡险山坡或山脚建厂。当不可避开时，应有可靠的截洪、排洪措施，并应根据国务院颁发的《地质灾害防治条例》，对山坡的稳定性等作出地质灾害危险性评估报告。

3.0.9 医药化工企业的厂址，应位于城镇或居住区的全年最小频率风向的上风侧。布置有医药工业洁净厂房的厂址应按本规范第3.0.14 条要求选址。

3.0.10 厂址应选择在有害气体能很快扩散稀释的地区，以减少对周围环境的污染。在逆温层较低、厚度较大及全年静风频率较高的地区建厂，有害气体就难以较快扩散稀释，尤其在低气压时形成有害气体弥漫厂区及周围地区，污染环境，危害职工和附近居民健康，为此不应在以上地区选择厂址。

3.0.11 随着国民经济的快速发展，我国医药化工企业的建设规模也相对扩大，企业事故状态泄漏或散发有毒有害、易燃易爆气体的数量也将大大增加。根据许多事故的经验教训，此类企业选址应尽量远离城镇、居住区、公共设施、村庄、国家级和省级干道、铁路干线、仓储区、军事设施、机场等人员密集场所和国家重要设施，以免造成重大人员伤亡事故。

3.0.12 本条是根据因事故状态泄露有毒、有害、易燃、易爆液体的化工医药企业造成较大危害的经验教训，为了保护江、河、湖、海供水水源，以及下游地区的安全而制定的。

3.0.13 本条列出不应选择厂址的地段或地区，由于第 1 款～第 10 款所指地段或地区建设医药工业企业将直接影响人员生命财产安全、人身健康、环境保护及公共利益，故作为强制性条款，必须严格执行。

1 现行国家标准《建筑抗震设计规范》GB 50011适用于抗震设防烈度为6度～9度地区的一般建筑抗震设计。若在9度以上地区建厂，不但无规范可遵循，而且会增加建筑工程投资，还会增加建（构）筑物及设施的不安全因素，因9度以上地震区所产生的地震力，在抗震加固技术上目前尚难解决。在地震断层建厂，更会加大工程投资和不安全因素。因此，不应在地震断层和地震设防烈度大于9度地区选择厂址。

2 泥石流、滑坡是以往山区建厂中曾多次发生又较难解决的问题，给企业造成了重大的经济损失。故规定不应把厂址选在有泥石流、滑坡等直接危害的地段。

3 本款是根据《中华人民共和国矿产资源法》关于“在建设铁路、工厂……非经国务院授权部门的批准，不得压复重要矿床”的规定制定的。

在采矿陷落（错动）区界限内建厂，易造成建（构）筑物损坏、陷落、断裂、位移、倒塌等情况，不仅影响企业正常生产，且危及人身安全。

4 在爆破危险区界限内不得建厂，是根据现行国家标准《民用爆破器材工程设计安全规范》GB 50089和《爆破安全规程》GB 6722中的有关规定制定的。两个规范对爆破危险范围（安全允许距离）作了规定，厂址不得进入。

5 本款是根据《建设项目环境保护办法》、《风景名胜区建设管理规定》、《中华人民共和国森林保护法》、《中华人民共和国自然保护区条例》、《中华人民共和国文物保护法》中的有关规定制定的。

3.0.14 医药工业的洁净厂房不同于其他的工业厂房，其区别在于洁净厂房内的药品生产工艺对空气的洁净度等级有特别要求。医药洁净厂房的空气洁净度等级标准中，不仅要控制悬浮粒子的浓度，还要控制微生物浓度，这是与其他工业洁净厂房（比如电子工业）的根本区别。特别是无菌药品对生产环境的微生物量控制更为严格。因此，含有洁净厂房的医药企业的工厂选址，要考虑其对环境的要求，除对大气含尘和有害气体浓度要低外，还强调大气含菌和致敏性物质也要低，以保证药品质量。

工厂新建、迁建或改建时，将厂址选在大气含尘含菌浓度较低的地区，如农村、城市远郊等环境较好，周边无严重污染源的地方，这是建设医药洁净厂房的必要前提。因此，厂址不宜选择在有严重空气污染的城市工业区。厂址应远离车站、仓储、堆场，远离严重空气污染、水质污染、振动或噪声干扰的区域。当不能远离上述区域时，则应选择位于严重空气污染的最大频率风向的上风侧。

不同区域环境的大气含尘、含菌浓度有很大差异，见表2。

表2 国内室外大气含尘、含菌浓度表

区域	含尘浓度≥0.5μm（个/m^3）	含菌浓度 微生物（cfu/m^3）
工业区	$(15\sim35)\times10^7$	$(2.5\sim5)\times10^4$
市郊	$(8\sim20)\times10^7$	$(0.1\sim0.7)\times10^4$
农村	$(4\sim8)\times10^7$	$<0.1\times10^4$

3.0.15 本条应按现行国家标准《医药工业洁净厂房设计规范》GB 50457规定执行。当医药工业洁净厂房处于交通干道全年最大频率风向上风侧，或交通主干道之间设有城市绿化带等阻尘措施时，可适当减小此项间距。

4 总平面布置

4.1 一般规定

4.1.1 厂区总平面布置是依据医药工业总体规划中确定的位置进行设计的。两者是局部与整体的关系，既紧密联系又互为条件。总平面布置要符合总体规划的要求并与之协调统一。

不同性质和规模的医药工业企业，其工艺流程各不相同。总平面布置中应根据生产的工艺流程、工厂的组成、生产特点和相互关系，明确功能分区；结合交通运输方式和当地自然条件，合理地布置生产与生产辅助设施、公用工程设施、仓储设施、运输设施、行政办公、质检及生活服务设施等相对位置。做到生产流程通顺短捷、运输简便、管线最短，为工厂创造安全、良好的生产条件和管理环境，确保药品产品质量，从而提高企业的经济效益。

因此，医药工业总平面布置应根据本条规定的多项因素综合分析，统筹兼顾、合理安排，并经多方案比较、择优确定。特别要提到的是，含有医药工业洁净要求的药物制剂类工厂，在总平面布置中还要注重厂区生产环境的特别要求。

GMP 是国际通行的药品生产和质量管理的基本准则，是 Good Manufacturing Practice 的英文缩写。《药品生产和质量管理规范》是 GMP 的中文译名。世界上主要发达国家和国际组织都制定了 GMP。我国于 1988 年颁布了国家 GMP。现行版为 GMP(2010)，其中涉及药厂总平面布置方面的内容有第三十八条、第三十九条、第四十条。内容如下：

第三十八条：厂房的选址、设计、布局、建造、改造和维护必须符合药品生产要求，应当能够最大限度地避免污染、交叉污染、混淆和差错，便于清洁、操作和维护。

第三十九条:应当根据厂房及生产防护措施综合考虑选址,厂房所处的环境应当能够最大限度地降低物料或产品遭受污染的风险。

第四十条:企业应当有整洁的生产环境;厂区的地面、路面及运输等不应当对药品的生产造成污染;生产、行政、生活和辅助区的总体布局应当合理,不得互相妨碍;厂区和厂房内的人、物流走向应当合理。

药厂总平面布置还应符合国家现行《药品生产和质量管理规范》的上述规定要求。

在无医药工业区规划或不在工业区规划区域内建设的药厂,其总平面布置应根据工厂当地的自然条件、厂外设施的相互联系与配套协调、环境保护等因地制宜地进行总平面布置。

4.1.2 本条在多年设计和生产实践经验总结的基础上,从节约用地、节约能源、节约投资、安全生产等方面对总平面设计提出了以下5款要求:

1 为了贯彻落实节约用地的基本国策,促进建设用地的集约利用和优化配置,提高工业项目用地的管理水平,国土资源部发布了《工业项目建设用地控制指标》(国土资发〔2008〕24号),该《控制指标》中所规定的容积率、建筑系数、行政办公及生活服务设施用地所占比重、绿地率控制指标,即为全面衡量工厂总平面布置的主要技术经济指标。该指标是核定工业项目用地规模的重要标准,是编制工业项目用地的有关法律文书,也是工业项目初步设计文件和可行性研究报告等的重要依据。为此,对总平面布置作出此款规定。

2 本款要求车间厂房及辅助生产设施等,在满足生产流程、防火、安全及卫生要求许可时,宜多层建造或采用联合厂房。这样可以达到集中布置、节约用地、缩短外管、节能降耗的目的。医药工业中的药物制剂工厂,常常采用大型联片厂房或多层厂房,使厂区运输、消防畅通,公用管线短捷,车间厂房外形规整美观、厂区功能分区明确、生产环境整洁。

3 见本规范第4.1.4条、第4.1.5条的条文说明。

4 本款要求厂区功能分区及建(构)筑物外形规整,是为能使厂区纵横干道直通,便于厂内道路、外管布置,有利于工厂消防和运输。不规整的厂区凸凹不一的建(构)筑物则造成场地不好利用,不利于节约用地,降低了土地的利用率。因此,处理好建(构)筑物与总平面布置的关系,使二者协调配合,能使总平面布置更加经济合理。

5 行政办公及生活服务设施,因不受生产流程的限制,灵活性较大,应按其性质和使用功能分别合并建造。医药企业中此类功能设施大都以办公质检楼,或以多功能综合楼形式设计成大体量建筑,既有利于节约用地,又能美化厂容厂貌。

4.1.3 事物总是不断发展的,随着科学技术进步和生产力的不断发展与提高,工厂的改、扩建是不可避免的,这是企业更新换代和发展的需要。因此,总平面布置中,处理好预留发展用地是一项重要任务。预留发展用地通常存在以下问题:

(1)工厂建设期间,生产方案发生变更,不能按原设计施工,或建成投产后又增添新项目,打乱了原有布置,造成建成后设施过于拥挤或过于分散,厂区空地较多等诸多不合理局面;

(2)厂区预留地过多、布置分散、管线距离加长、厂区内空地长期闲置未用;

(3)建厂初期未考虑工厂发展,建成后又要扩建,造成厂区总平面布置不合理。

上述问题均给工厂安全生产及经营管理带来诸多困难和不便,影响了经济效益。据调查分析,目前工厂预留发展用地的现状是,完全按初期计划扩建的少、大多数有不同程度的变化,且初期预留地也不一定适合日后扩建的要求。针对生产的弹性、结合企业的具体情况、合理地预留发展用地,本条作出了四款规定。

1 本款“分期建设的工厂”,是指经过上级审批的可行性研究报告中明确规定的分期建设项目，这是总平面布置考虑工厂发展的设计依据。为了使前期工程尽快建成投产，早日形成生产能力，应将前期项目集中、紧凑、合理布置。布置中要考虑与后期工程的互相协调，为后期工程项目创造良好的建设条件，要避免后期工程施工影响前期工程的生产。因此总平面设计要贯彻近期集中、远期外围、自内向外，由近及远的逐步建设原则。

2 严格控制厂内预留发展用地，远期工程用地预留在厂外，是使工厂用地避免早征迟用、征而不用的有效措施。

3 为使工厂在技改和扩建过程中，生产设施、辅助生产及公用工程设施、仓储设施和管线敷设能相互配套协调，不致造成扩建时困难，或因扩建而破坏工厂的合理布局。为此，预留发展用地时，应全面、系统地考虑，统筹安排。除考虑主要生产设施预留用地外，还应考虑相应的辅助生产设施、仓储设施、运输设施和管线敷设的发展用地要求。目前，一般厂房的改扩建项目，大多数是在现有厂房附近见缝插针建设，致使安全距离减小，管线敷设困难，达不到规范规定的要求。

4 本款制定是为避免不必要的拆迁造成经济损失，使预留发展用地不作他用，以直接用于后期建设。

4.1.4 按功能分区布置是总平面的基本原则之一。依照医药工业特点，厂区通常分为生产区、辅助生产区、仓储区、动力公用设施区、办公质检和生活服务区。辅助生产和公用工程设施按具体条件可布置在生产区，也可单独一区布置。一般宜布置在负荷中心或需用量较大的车间（厂房）附近或街区内，使物流输送、动力供应便捷合理。

非甲、乙类仓储设施即是属丙类以下仓储设施，因其防火要求稍低，与生产厂房联体布置，可使产成品运送距离短，功能分区布置紧凑、合理，使于生产管理，节约用地面积。

4.1.5 厂区通道是连接街区并为设置全厂系统性道路、管廊、管线和进行绿化的地带，必须满足建（构）筑物在防火、安全、卫生间距方面的要求，满足施工、安装及检修的要求，满足与厂区相适宜的建筑外观与空间塑造的视觉要求。合理的通道宽度，直接影响到总平面布置的紧凑程度。通道过宽，总平面松散占地多，增加了厂区用地面积，加长了运输线路和管线长度；过窄，则不能满足工程设施的布置要求，使得运输线路和管线布置拥挤，施工和维修困难，影响企业的安全生产和日后的改、扩建。因此，合理确定厂区通道的宽度，是总平面布置的重要内容之一。医药企业厂区通常的通道宽度按现行国家标准《化工企业总图运输设计规范》GB 50489表 5.1.6 厂区通道宽度执行。

4.1.6 总平面布置应充分利用厂区地形、地貌，因地制宜、合理地进行布置。当地形坡度较大时，建(构)筑物及生产装置的长边顺地形等高线布置可减少场地平整土(石)方工程量，避免建(构)筑物产生不均匀沉降，有利基础处理和运输线路布置。当地形存有高差时，可设置高站台、低货位满足固体物料装卸与液体物料输送。这样，既利用了地形高差，又减少了土(石)方量，降低了建设投资；既减少了能耗，方便了运输装卸，又减少了运费。

总平面布置应结合工程地质和水文地质条件进行。必须满足每个单体建(构)筑物对地基承载力的要求，承重较大的大型联合厂房和设备装置应布置在土质均匀、地基承载力较大的地段。地下建(构)筑物应布置在地下水位较深的地段，可减少土(石)方量和防水处理工程费用。布置建(构)筑物要避开不良地质地段以及地基承载力相差悬殊的地段，这样可节省基础工程费用，且可避免产生不均匀沉降造成事故。

对有可能渗透腐蚀性介质或污水渗入地下的生产、储存和装卸设施，应考虑地下水水位及流向，以免偶发事故或自然灾害造成地下水污染，导致建(构)筑及设备基础遭受侵蚀损坏。

4.1.7 总平面布置中建筑物的朝向是良好的日照及自然采光与通风的先决条件。合理的朝向能改善员工的工作环境，有利于员工的身体健康，有利于提高劳动生产率。从工程实践经验来看，我国地处北温带，各地多数建筑物采用南向或南东向布置。这是较为通常的朝向，对日照和自然采光、通风有保障。在我国北纬40°以南地区，应避免夏季西晒，尽可能争取自然通风，冬季争取有足够的日照。为获得良好的自然采光与通风，应使建筑物之间间距符合现行国家标准《工业企业设计卫生标准》GBZ 1的要求。同时为保证有良好的自然通风，应使建筑物的长边与夏季盛行风向成45°～90°的角度。如朝向与风向不能同时满足时，应根据当地的具体条件确定建筑物的朝向。

4.1.8 散发有害气体和粉尘的半敞开式厂房，平面不应设计成U形、山形。因为生产中散发的有害气体和粉尘，有可能在U形、山形半敞开式厂房的内院集聚，从而污染环境，影响生产和人身健康。

4.1.9 本条对甲、乙类厂房布置成U形、山形时作了三款规定，是根据多年来的实际经验总结的针对消防安全的规定。

1 甲、乙类厂房布置成U形、山形时，占地面积一般会比较大，发生火灾时，在灭火中用水量大，消防车辆投入多，如果没有环形车道或平坦空地等，必然造成消防车辆堵塞，靠不近扑救火灾现场，车辆再多也不能发挥作用。因此，厂房四周设置环形消防车道是必要的。

2 甲、乙类生产区域的火灾危险性大，为了减少相邻区域的火灾机率，相邻两翼的建筑连接部分不宜布置甲、乙类生产区域。

3 在相邻两翼的连接部分设置消防通道，是为了便于U形、山形内院火灾的扑救。

4.1.10 有害气体、烟、雾、粉尘、强烈震动和强噪声对周围环境、人员和设备以及产品质量均有不同程序的污染，故总平面布置应根据不同设施的具体要求，合理布置。污染危害大的设施应远离对污染敏感的设施，并避免对环境的重复污染。

噪声是影响环境质量的污染源之一。强噪声能引起耳聋和诱发多种疾病，一般强度的噪声也能引起人们的烦噪，干扰语言交谈，降低工作效率，甚至会因此酿成事故。为尽量避免或减少噪声对环境的危害，总平面布置的噪声控制应符合现行国家标准《工业企业噪声控制设计规范》GBJ 87 的规定。

4.1.11 合理组织厂区人流、货流，减少相互交叉，是杜绝工厂交通事故、保证人员安全和运输、装卸作业畅通的重要措施。工厂货流、人流的线路布置与工厂规模、生产流程、货物类别及性质、进出工厂的出入口方向密切相关。工厂运输是整个企业生产的纽带，是企业生产过程的继续和体现。合理地布置运输线路，就是要保证物料运输线路顺畅、短捷，尽量避免或减少迂回折返，减少运距，降低费用，提高企业的经济效益。因此总平面布置的合理与否在很大程度上还取决于运输设计。

4.1.12 总平面布置既要对各项设施平面布置的合理性予以充分重视，还应对建筑群体的平面布置与空间景观进行组织，使之与周边环境相协调，给人以完美的群体建筑组合艺术感观，为企业创造良好生产与生活环境。

4.2 生产设施

4.2.1 生产设施是工厂的主体。不同产品的生产有不同的生产过程，医药产品从原料进厂到产品出厂，经过化学反应和物理加工制造出药物产品，药品生产工艺流程就是药厂总平面布置的依据。为使物料流向合理，线路短捷、方便生产操作及管理，必须顺应生产流程进行布置。

药品生产中，由于不同物料、不同生产过程，其生产火灾危险性类别各不相同，对防火、防爆和卫生要求也有一定的差别；由于药品生产的各自特点，生产中产生的污染以及对环境的洁净要求也不尽相同，为此总平面布置还应根据国家现行标准、确定相应的安全防护距离。为了有利施工建设和生产管理，保持药厂正常生产运行，在总平面布置中必须全面考虑施工、安装、维修和生产操作，以及与辅助生产及公用工程设施的联系等多种因素，使生产设施相互之间布置紧凑、合理,以取得良好的经济效益。这是生产设施布置的基本原则。

4.2.2 医药洁净厂房对厂内的生产环境条件要求较高,对空气的洁净度、温(湿)度、气压差、微振控制等均有严格要求,以保证药品的产品质量,满足人民用药需要。总平面布置中应使其位于厂内环境清洁,人员和车辆流动较少的地段,以减少扬尘和振动影响产品质量。医药洁净厂房应布置在散发有害气体、烟、雾、粉尘的污染源全年最大频率风向的上风侧,是确保洁净厂房少受污染的必要措施。另外,某些甾体药品、高活性、有毒害等药品的生产厂房,应位于其他医药洁净厂房全年最大频率风向的下风侧;中药前处理、提取厂房等也应位于制剂厂房的下风侧,这样可防产品之间的交叉污染。因此,处理好厂区内医药洁净厂房与非洁净厂房以及其他严重污染源(如锅炉房)之间的相对位置关系显得十分重要。

4.2.3 药品生产中可能散发可燃气体的设施,主要是存有生产火灾危险性甲、乙类的厂房和仓储等设施。这些设施生产中散发的可燃气体,在空气中很容易达到爆炸浓度,一遇明火或火星时极易发生爆炸,造成事故危害。为此药厂总平面布置中对易燃、易爆危险性较大的车间、仓储等设施,布置在明火和散发火灾地点的全年最大频率风向的下风侧,可相对降低其危险性和事故破坏性。在山区或丘陵地区避免布置在窝风地段,则可有利通风,降低可燃气体在空气中浓度,不致引起爆炸危险。对于能散发可燃气体设施的安全防护要求,应按国家标准《建筑设计防火规范》GB 50016 的相关规定执行。

4.2.4 为减少在生产、储运和装卸过程中,泄漏和散发有毒、有害或腐蚀性气体、粉尘对人员的直接危害和产生安全事故,应充分利用当地自然气象条件,将上述场所及主要生产设备区布置在全年最大频率风向的下风侧,以便为各类生产操作和管理人员创造安全的工作环境。

4.2.5 本条为强制性条文,必须严格执行。青霉素类药品是非常特殊的药品，它疗效确切，但致敏性极高，只需微量就可对过敏体质者造成严重人体伤害。为此，国内外 GMP 对它的生产、管理都有严格的规定要求。为使因青素霉类等高致敏性药品生产泄露引起的污染危险性减少到最低程度，其生产厂房应位于其他厂房全年最小频率风向的上风侧。

4.2.6 本条为强制性条文，是根据现行国家标准《医药工业洁净厂房设计规范》GB 50457 中第 5.1.6 条、第 9.6.1 条两个强制性条文而制定的。我国现行 GMP(2010)第四十六条规定，生产青霉素类高致敏性药品或生物制品(如卡介苗或其他用活性微生物制备而成的药品)必须使用独立的厂房与设施，严防其混入其他药物中，故设独立厂房与设施，并在总平面布置中采取措施避免对其他药物的混杂。GMP(2010)第四十六条、附录 3“生物制品”中规定这些特殊药品的生产厂房应与其他生产厂严格分开。另外 β-内酰胺结构类性激素类避孕药品等特殊药品的生产，也对操作人员和生产环境存有一定的风险，与青霉素等高致敏性药品生产厂房不同，这些药品的生产厂房并不强调必须是独立的建筑物。因此这些药品的生产可在同一建筑内与其他医药生产厂房以实墙分割成互不关联的生产厂房，其人员、物料出入，所有生产设施如空调净化系统、工艺用水系统，以及其他公用工程系统，均与其他医药生产厂房严格分开。当然，也可安排在各自的独立的建筑物内，在总平面布置上与其他药品生产厂房分开。

本条还规定了青霉素等特殊药品生产的净化空调系统和排风系统应单独设置，以避免对其他药品的污染，同样也应避免排风对净化空调系统在引入新风时的污染，要使排风口远离其他净化空调系统的进风口。

4.2.7 本条为强制性条文，是根据我国现行 GMP(2010)中附录 4“血液制品”的规定，这些特殊药品的生产厂房应与其他生产厂严格分开。

4.2.8 毒、麻等特殊药品，因其药理性质，在长期、过度接触后能致人成瘾，损害神经危害人体健康，其生产过程中粉尘、颗粒对操作人员及周边环境产生污染。为避免此类特殊药品在生产中与其他药物混杂及污染厂区环境，将其厂房独立布置，则有利于生产安全及产品管理。

4.3 公用设施

4.3.1 动力公用设施，靠近负荷中心或主要用户是为缩短线路，降低能源损耗，节约投资。如受条件限制不能完全满足上述要求布置，而从全厂总平面布置考虑，该动力公用设施的布置又是合理的，所以本条严格程度用词采用“宜”。无论布置在负荷中心，或布置在生产厂房内都应符合现行国家标准《建筑设计防火规范》GB 50016 的相关规定。

4.3.2 总变电站(所)为全厂性重要设施，是企业的动力中心，为确保安全供电本条作出了三款规定：

1 靠近厂区边缘地势较高地段，方便输电线路进网，出线走向可避免架空线路穿越厂区，确保厂区供电安全。

2 考虑强烈振动对电气设备可能造成误动作等损害而引发事故，作出了本款规定。

3 由于产生粉尘、散发腐蚀性气体和水雾的场所对电气设备容易造成腐蚀，大大降低了电气设备的绝缘水平，造成漏电事故，影响安全供电。因此总变电站(所)要避免在上述场所布置，并应从风向上避开此类场所的不利影响。

4.3.3 本条对燃煤锅炉房的布置作了四款规定：

1 燃煤锅炉房耗煤和排灰量大，宜将其布置在厂区边缘，为燃煤的储运，灰渣的临时存放和运输创造良好条件。

2 为避免和减少锅炉房在运行过程中产生的有毒气体，烟、尘、灰渣和噪声对厂区环境污染，故将其布置在全厂最大频率风向的下风侧。

3 靠近高压蒸汽用户、可缩短供气管线、降低能耗。

4 当采用重力自流回收冷凝水时，锅炉房布置在地势较低处且不窝风地段，可以提高水管内的回水压差，确保自流，又能使锅炉房有良好的自然通风条件，改善操作环境。

4.3.4 燃油、燃气锅炉房与燃煤锅炉房的区别，在于对周围环境无粉尘污染，其燃料可以通过管道输送。因此在满足安全的前提下，燃油、燃气锅炉房宜靠近用热集中的设施和便于燃油、燃气以及供热管线的进出，以减少热损失。

4.3.5 给水处理设施的布置通常是靠近水源地、水源汇集处或靠近主要用户。其目的主要是为输水干管短捷、节省能源、节省工程投资和生产经营费用。同时总图布置时应注意防止生产区的粉尘、毒性气体及污水对供水水质的污染。

4.3.6 循环水冷却设施布置位于所服务的生产设施附近，是为了缩短管线长度，节省投资和运营费用并且方便管理。宜将冷却塔布置在通风良好的开阔地段，以提高循环水冷却塔的冷却效果。由于冷却塔处于生产厂区内，应考虑周围环境对水质的影响。加热锅炉等热源体一般散发大量的热量，使其周边温度偏高，冷却塔靠其过近，会影响冷却塔的冷却效果。

4.3.7 鉴于污水处理站(场)的特殊功能，为防止其处理污水过程中的气味和渗水对厂区环境的污染，并便于排水通畅、降低能耗等，故本条对此作出了相应布置规定。

4.3.8 避免受污染的雨水和消防水直接进入市政雨水管，造成更大的污染。

4.3.9 医药工业的压缩空气站不同于普通动力用气空压站，它大流量低压力供气，要求吸入的空气洁净、干燥、含湿低。而含粉尘、爆炸性、腐蚀性和有毒等有害气体吸入后，不仅影响压缩空气的质量，还会对安全生产带来威胁。比如抗生素类药品生产中，发酵工段就要求邻近的空压站提供除油、除水，且有一定洁净要求的压缩空气供发酵使用。故空压站进气口空气的洁净要求不能忽视。另外，空压站运行会产生较大噪声和振动，对周围环境会产生一定影响，故本条作出了明确规定。

4.3.10 本条为节约能源，保证冷冻站安全生产以及减少和避免冷冻站对邻近设施的影响而制定。

4.3.11 氧（氮）气站（或空分站）是将空气压缩从中分离出氧气和氮气的设施。医药工业生产中主要使用氮气，而氧气是副产品，其氮（氧）站不同于一般化工企业的氧（氮）站。药品生产中因生产工艺用氮的用量有限，制氮气设备多为小型、常使用氮气分离器等。其设施可布置在车间厂房内部，也可集中布置在动力厂房中。为了提高氮气纯度，确保药品生产安全，要求吸入的空气必须洁净。吸风口处空气中危险杂质的允许极限含量均应符合现行国家标准《氧气站设计规范》GB 50030 的相关规定。

4.4 仓储设施

4.4.1 本条对仓库和堆场等设施按不同性质、不同类别、相对集中布置，是为有效采用机械化搬运、共用运输线路、装卸设备和补救火灾创造条件。同时可节约用地，便于管理。仓储设施靠近相关装置和运输线路，以符合生产工艺流程的连续性要求，避免物料的二次倒运，形成连续生产、连续运输，降低生产成本。

4.4.2 本条是根据现行国家标准《医药洁净厂房设计规范》GB 50457 中第 5.1.5 条的规定制定的。药物制剂加工中，药品生产的品种、规格繁多，需要使用的原辅物料、包装材料也多，加之生产中的半成品和成品，每天都有大量的物料运转存放，无疑将上述物料的储存与制剂车间联体或靠近制剂车间布置，对生产的运行管理是有利的。它缩短了物流路线，避免了人为差错，以及防止物料之间在传输过程中的混杂和污染，保证了药品质量。另外对有温（湿）度或其他特殊要求的物料，在室内运输可免受外界天气变化的影响。

4.4.3 本条所指的火灾危险性属甲、乙、丙类的“可燃液体”是：易燃液体、可燃液体、烃类液体的统称。根据现行国家标准《建筑设计防火规范》GB 50016的相关规定，结合医药工业生产使用情况制定了本条规定。

1 为减少可燃液体对厂区其他部位的影响，考虑罐区液体泄露或气体易挥发扩散的特点，一般将其布置在厂区全年最小频率风向的上风侧，且地势较低而不窝风的安全地段。

2 应远离明火或散发火花的地点，不宜布置在这些场所全年最小频率风向的下风侧，是罐区安全防火、防爆的重要措施之一。

3 为防止架空电力线路或无关的易燃、可燃物料管线或贮罐区起火，进而造成相互影响引发更大事故，故制定本强制性条款。

4 大多数可燃液体汽化成气体状态时，其比重较空气重，一旦外漏会沉至地表，随地面坡向流至低处。一旦流入江、河、湖、海中，将浮于水面，随水流流向下游，不仅污染水体，且遇火燃烧并向下游扩展，造成较大危害。

4.5 生产管理及其他设施

4.5.1 医药企业的行政办公、生产管理及生活服务设施用房，宜布置于环境条件较好的厂前区域。这不仅节约用地，方便对外进、出联系和生产经营管理，而且还为厂前区的建筑群体组合和立面处理创造了条件，有利于厂前区的建筑景观设计以及与周边环境和城市建设相协调。

在厂前区设置机动车停车场，可方便员工上下班通勤。根据人员在厂区的分布情况和自行车数量的多少，可在行政办公及生活服务区或在车间附近集中设置自行车棚，方便员工存、取车。

4.5.2 医药企业实验动物房的设置，系根据药厂产品品种的试验需要和实验动物房的功能不同划分，通常分为实验动物繁殖生产基地、实验动物繁殖试验综合中心以及只做试验的小型实验动物房。实验动物房应布置在厂区空气与周边环境较好的区域，并应符合现行国家标准《实验动物设施建筑技术规范》GB 50447的有关规定。

4.5.3 由于工厂规模、占地面积以及当地规划要求等因素不同，在合理确定人流和货流组织时难以统一规定。必须考虑工厂出入口数量及位置，只能根据工厂的具体情况具体布置。通常工厂出入口一般不宜少于2个，要使人流、货流分开，减少相互干扰，保证交通安全。主要人流出入口应设置在工厂主干道往城镇和居住区一侧，主要货流出入口应位于主要货流方向，并应靠近运量较大的仓储、堆场，同时应与厂外运输线路连接方便。

4.5.4 为了安全生产和便于管理，工厂厂区设置围墙是必需的。围墙的平面位置、结构形式和高度，可根据工厂的性质、保卫措施或当地的规划要求确定。

4.5.5 工厂是否要设置消防站，应根据企业性质、规模和厂内固定消防设施，以及邻近协作单位的消防能力能否满足化工医药火灾的扑救要求等情况来确定。本条对工厂消防站的布置作出了以下规定：

1 消防车的出行应迅速、方便、顺畅地通达厂内外，这是消防站设置的基本要求；

2 本款对医药工厂消防站服务范围以及消防车接警后，到达不同生产火灾危险场所的车程和时间要求进行了规定。

5 竖向设计

5.1 一般规定

5.1.1 本条从生产、运输、安全、经济等多方面概括地规定了竖向设计的一般原则。

1、2 竖向设计的目的是把医药工业企业建设场地的自然地形加以改造和利用使之符合建厂的要求。其与城镇规划、厂区总平面布置有密切的联系，应加以统一考虑。

3 竖向设计所涉及的外部条件还与现有和规划的市政道路、管线、排水系统及其他设施相关联。所以，在进行竖向设计时，应充分掌握上述条件，统筹考虑，以保证设计的合理性。

4 良好的运输条件是医药企业安全生产和经济管理的重要保证，满足生产、运输要求是竖向设计的主要任务。

5 为保证厂区生产安全，竖向设计应使厂区不被洪水、潮水和内涝水淹没，不受积水和倒灌等威胁。

6 场地平整一定要结合自然地形和工程地质、水文地质条件，尽量减少土(石)方量、护坡和挡土墙等工程量，以降低工程费用。

7 山区或丘陵地建厂，经常会出现大量切坡和高填方地段，容易引起滑坡、塌方等情况，故必须予以重视。要切实做好各项防护设计，要保护植被，防止水土流失。

8 天然的排水系统有其形成的自然规律，一般不易随意改变。必须改变时应对其进行充分的调查研究，选择宜于导流和拦截的地段，使水流顺畅地排至厂外。

9、10 分期建设和改、扩建工程，其场地、道路及建(构)筑物的设计标高应与远期工程的竖向设计和老厂现有的标高相互协调，衔接合理。

5.1.2 竖向布置方式的选择较为复杂，且本条所列各种条件和因素与之有关，故竖向设计没有一定的模式可循。本条根据现行国家标准《化工总图运输设计规范》GB 50489 中第 6.1.5 条的规定制定。

5.1.3 工厂施工初期必须对建设场地进行平整，以满足大规模施工所需。场地平整方式的选择主要是根据地形和地质条件、厂区面积、建(构)筑物大小与布置特点，竖向布置形式、管线敷设、生产工艺、交通运输方式和施工方式等因素合理确定。通常医药制剂联片厂房生产区以及厂前区多采用连续式；厂区边缘或仓储、堆场等可考虑采用重点式。对地形平坦的场地可整个厂区采用连续式平整；对山区坡地建设场地因地形地质条件等复杂，宜采用重点式平整。

5.2 设计标高的确定

5.2.1 本条系确定场地设计标高的一般原则，对设计标高的确定具有指导意义。

5.2.2 本条是根据现行国家标准《工业企业总平面设计规范》GB 50187的规定制定的。

1 对不需填方或适当填方就可使场地设计计算标高达到本款规定时，均按本款规定确定最低的场地设计标高执行。

2 一般情况下，以填土提高场地设计标高，使之满足第 1 款规定为首选方法。当场地较低，按上述标准填方量很大，取土困难且不经济时，可采取筑堤防洪(潮)、排涝等措施(如围堰筑堤、机泵排水等)。通过这些措施，在确保厂区生产安全的前提下，经技术经济比较合理时，场地的设计标高可不受第 1 款规定的限制。

5.2.3 场地平整的最小坡度，一般情况下不宜小于 0.3%，以利于排水。但在我国西北干旱少雨地区，其场地平整坡度可适当降低。

5.2.4 建筑物室内外地坪设计标高的高差除设计要求外，还与工厂所在地区的工程地质、水文地质、降雨量等气象条件有关，应结合实际情况选择、确定。本条对生产及辅助生产厂房、办公质检及生活服务设施、仓库、露天生产装置区等地坪作出了一般性的规定，可供设计选用。对于有运输和装卸作业厂房，其室内外地坪高度宜采用下限值。

5.2.5 有时根据工艺及建筑内部运输的需要，建筑内部的地坪可以采用不同的标高。

5.2.6 本条对工厂各类装卸作业的普通货物站台高度作了原则性规定。汽车装卸站台高度，应根据所选汽车的车厢底板高度而定，本条规定的站台高度0.7m～1.5m仅供设计参考。

对集装箱汽车装卸站台高度，应按选用集装箱汽车的吨位和集装箱尺寸确定。本条规定的集装箱汽车装卸站台高度1.2m～1.65m仅供设计参考。

5.2.7 厂内外道路及排水管、沟的连接点要考虑其线路平面走向和纵断面标高御接的合理性，两者必须兼顾。

厂区出入口处的路面标高，一般情况下宜高于厂外道路路面标高。当受条件限制低于时，应在厂区出入口外侧设置可靠的截流措施，以免厂外雨水流入厂内。

5.3 阶梯式竖向设计

5.3.1 本条规定了划分台阶的基本原则。

1 阶梯式布置一般适用于厂区布置在场地自然地形坡度大于2%，建设场地的宽度不大，建筑物高差大于1.5m的地段。特别是在山区丘陵坡地建厂，为充分利用地形节约土(石)方工程量和建(构)筑物基础工程量，采用阶梯式布置较为适宜。因此必须与场地地形和总平面布置相适应，以达协调合理之要求。

2 本款规定是为有利于生产操作和管理，缩短管线、运输距离，降低工程费用。

3　大量切坡或高填土，容易破坏原坡面坡度的自然稳定，造成修整护坡和砌筑挡土墙工程量增大，不利于节省投资与节约用地。

4　台阶的长边与场地自然地形等高线平行布置，可减少土（石）方工程量。

5　台阶的宽度通常是根据总平面布置的要求确定的。当竖向设计允许的宽度小于总平面布置需要的宽度时，应对建（构）筑物外形尺寸、基础埋深、室外设备、运输线路、管线和绿化等布置要求，以及操作、检修、消防和施工等需要，进行综合分析比较，调整总平面布置和竖向布置对台阶宽度的要求，确定使台阶宽度尺寸合理、经济、适用。

6　台阶的高度一般不宜大于4m，否则会造成挡土墙工程量巨大，厂区横向道路纵坡过大，造成诸多不便，影响生产运输安全。当在山区、丘陵地区建厂，难以做到台阶小于4m时，可分段设置挡土墙。在场地条件允许情况下，可将挡土墙与护坡结合设置，以降低其高度。

5.3.2　两相邻台阶间的连接，通常采用自然放坡的方法，这种方法虽然节约了工程费用，但增加了占地面积。采用自然放坡的地段，应根据当地降雨、现场土质等情况进行适当绿化（如铺设草坪、种植花草）植被，以防止坡面遭受冲刷、坡体崩塌、造成损失。当自然放坡有困难时，也可采用边坡防护和加固的方法，使工程加固措施与绿化防护措施相结合进行。

5.3.3、5.3.4　这两条规定主要参照现行国家标准《建筑地基基础设计规范》GB 50007和《工业企业总平面设计规范》GB 50187中的有关规定制定。

5.3.5　本条是参照建筑设计的有关要求制定的。

5.4　场地排水

5.4.1　场地排水设计是总平面设计的重要组成部分，也是竖向布置的任务之一。为了保证企业生产和运输安全，必须使场地的雨水有组织地迅速排除。本条中“完整”是指不论采用何种排水方式，场地所有部位的雨水均有去向；“有效”是指排水系统的能力应与场地所接受的雨水量相匹配，且能随时处于工作状态。

场地雨水的排水方式，一般山区丘陵地形，竖向设计采用阶梯式布置时，大多数采用明沟排水，或明沟与暗管并存的排水方式；平原地区，厂内道路采用城市型时，大多数采用暗管排水。但在一些化学合成药厂，为防止比空气重的可燃气体在暗管、暗沟中沉积聚集，局部地段近年来采用明沟排水，以保证安全。

自然排渗方式就是场地不设任何排水设施，利用地形、地质和气象上的特点将雨水迅速排除。此种方式适用于雨量小、场地自然坡度较大、土壤渗水性强的地区，并应保证建(构)筑物和交通运输不受局部、短时少量积水的影响。

医药厂区宜采用暗管排水。而医药生产企业据其工厂生产性质，通常存有三种排水系统，即雨水系统、清废水系统以及污水系统。

对生产环境要求较高的制剂厂区其排水更为复杂，极少数的排水可经直流水隔套冷却后单独排至室外雨水系统；大多数的排水因含有污染物需经处理后才可排放；有些排水的温度高达90℃，应单独排至室外降温池，降温后才可排入污水总管；而有些废水则可直接排至厂房外污水总管。因此，应根据具体情况确定排水系统。医药工业洁净厂房排出的会有污染物废水，均需经厂内废水处理站处理达标后方可排出厂外。

5.4.4 本条对明沟的设计作了较为详细的规定。

明沟的深度是指沟底至沟顶的高度，有盖明沟系指沟底至盖板底高度。明沟的最大深度，取决于排水系统的组织、线路的距离、沟底纵坡、降雨强度等多种因素，故本规范未作规定。但明沟深度不宜超过 1.5m，否则施工困难，且难以清理，若增加沟宽，以降底深度则导致工程费用增加。

5.4.5 本条根据现行国家标准《室外排水设计规范》GB 50014 的规定制定。雨水口的间距应视年降雨量和暴雨强度确定。年降雨量大或暴雨强度大的地区，其间距应取小值，反之应取较大值。

5.4.7 一般情况下，山坡地带建厂都应在厂区上方的山坡上设置截洪沟（或截水天沟）以截引坡顶上方的地面径流，防止工厂可能遭受洪水侵袭，以确保厂区安全。为防山坡地面水漫流至边坡，可在坡顶处加设挡水堰。截水沟宜选择地形平缓、地质稳定的挖方地段设置，使水流排出距离最短，并尽可能与自然地形和沟渠结合考虑。

5.5 土(石)方工程

5.5.1 场地平整土（石）方工程量的计算方法，大多数采用方格网法和断面法。通常以方格网法计算的较多，此法适用于地形较为平缓和台阶宽度较大的场地，其计算方法精度较高。断面法适用于场地地形变化较大，自然地面较为复杂的地段，其计算精度不及方格网法，多用于厂外道路、铁路路基、大型埋地管道的管沟等呈带状地段的土（石）方工程量的计算。

方格网法的边长和断面法的间距设定，取决于设计要求的精度、设计阶段、厂区面积大小和场地地形变化的复杂程度。

当采用方格计算时，在方案设计阶段，可用 50m×50m 方格网计算；在初步设计及施工图设计阶段，宜用 20m×20m 方格网计算。采用断面法计算时，在方案设计和初步设计阶段可用 50m 的断面间距；施工图设计阶段可用 20m 的断面间距。

随着计算机土方计算软件的开发、应用和升级，大大提高了土（石）方量的计算效率。为了进一步提高土（石）方工程量的计算精度，可适当缩小方格网间距。

5.5.2 场地平整中，在满足施工要求、技术条件合理的情况下，力求土（石）方量最少，挖填方量基本平衡，就地调配土方运距最短，这是土方平整的基本原则。但在工程实践中，往往达不到上述要求。当挖填方量不平衡时，要考虑缺土或余土处理问题。厂区附近有否取土和弃土条件，当经技术经济比较后属合理时，也可不强求挖填方量的平衡。场地平整土（石）方工程量的计算中，因种种原因某些部分的土方量常常难以准确计算，如建（构）筑物及设备基础、厂区道路、地下管线及沟槽等的出土量（二次土方量），都难以计算准确。根据经验，土方计算中的场地地面初步平整标高，应比最终设计地面标高低 0.1m～0.2m 为宜，这样可以消化上述土方。

6 厂区道路设计

6.1 一般规定

6.1.1 本条为厂区道路的布置原则及功能要求。是为保持厂内交通、消防顺畅，车流、人行安全，生产运行正常以及施工、维修方便等要求制定的。

6.1.2 厂区道路网的布局应与总平面布置功能分区相结合，且宜与主要建(构)筑物轴线平行或垂直布置，使与厂区通道及管线布置相协调，使车间、厂房引道联系方便。

6.1.3 厂区主干道宜尽量平直，贯通全厂，均匀布置。要合理分散人流与货流，使货流通畅，人流方便，交通安全。

6.1.4 厂区道路与竖向设计相协调，不仅有利于场地和道路雨水排泄，而且还便于阶梯布置的道路联系通畅。

6.1.5 厂内道路与厂外道路的衔接值得重视，应尽量使主要货流和人行进出口直通、短捷、顺畅，减少混行和迂回绕行现象。

6.1.6 厂内道路尽量正交和呈环行布置，不宜中断。当出现尽头时，本条提出设置尽端回车场及其长宽尺寸的规定要求。

6.1.7 医药企业厂内道路宜选用城市型道路结构，采用高级或次高级路面，以减少发尘量，使环境卫生整洁便于维修养护，有利于满足药品生产对周围环境的较高要求，有利于保证药品产品质量。但路面结构类型不宜过多，应根据具体要求分别选用。

6.1.8 本条是根据医药洁净厂房对总平面布置的要求制定的。并应符合现行国家标准《医药工业洁净厂房设计规范》GB 50457的相关规定。

6.2 道路平面设计

6.2.1 医药工业企业厂内道路路面宽度主要应按道路类别、人行与车流通行需要和所在通道宽度等因素确定。表6.2.1中的路宽数值是依据现行国家标准《化工企业总图运输设计规范》GB 50489的规定选用的。目前我国大多数医药企业厂区面积要小于同类化工企业厂区面积，特别是药物制剂工厂面积相比更小，但却对厂内交通、视觉感观和厂容厂貌要求较高，故厂区面积较小的各类药厂应尽可能采用表中下限值，以保证路面与通道宽度的适当比例，既节省投资又能形成良好的视觉感观。

通过上述比较和近年医药工业企业厂区道路设计实用数据分析，我们认为参考化工企业厂内道路路面宽度数值是合理的。

6.2.2 厂内道路交叉口路面边缘转弯半径，应根据其行驶车辆的类型确定。具体设计可按本条规定执行。

6.2.3 厂内道路平面交叉的技术条件应予以重视，本条款按现行国家标准《厂矿道路设计规范》GBJ 22 制定。

6.2.4 “视距”是保证行车安全的一个条件，也是道路设计中的要素之一。汽车行驶时，驾驶者应能随时看到前方路面上的障碍物。为此，在转弯处，纵坡凸形变坡处和交叉路口，应保证计算车速下的最短视距需要。

停车视距是指汽车驾驶者从发现前面道路上有障碍物，必须紧急采取刹车制动到汽车在障碍物之前完全停止下来所需要的距离。

会车视距是指在同一条车道上有相向行驶的车辆时，为了避免车辆相撞而双方都采取刹车制动后车辆完成停下来所需要的最短距离。

交叉口视距系指车辆在驶入交叉口前，驾驶者能看清相交道路上车辆的行驶情况，并能顺利地通过交叉口或及时减速停车，避免相撞所需的最短距离，这一距离不应小于停车视距。

本条是根据现行国家标准《厂矿道路设计规范》GBJ 22 制定的。

6.2.5 根据现行国家标准《厂矿道路设计规范》GBJ 22 的规定对

人行道设计提出技术要求而制定本条规定。人行道是厂内交通不可缺少的内容,应按规范设计。“经常通过行人而无道路的地方”,一般指通向车间办公室、室外生产装置等处,都应设置人行道。

6.2.6 本条是对厂内道路边缘至两侧建(构)筑物最小距离的规定,表6.2.6中所列数值是根据现行国家标准《化工企业总图运输规范》GB 50489,并结合医药工厂特点确定的。

6.3 道路竖向设计

6.3.1 道路纵坡是道路设计的技术标准之一,设计必须遵守。本条文是根据现行国家标准《厂矿道路设计规范》GBJ 22制定的。

6.3.2 本条是厂内道路平面交叉处的纵坡技术条件,系根据现行国家标准《厂矿道路设计规范》GBJ 22制定。

6.3.3 人行道纵坡较大时不便行走,特别是雨雪冰冻天气易发生危险,为保障人行安全,采取必要措施,制定本条规定。

6.3.4 本条对厂内道路的横向坡度提出技术要求。

6.4 停车场

6.4.1 厂区内应根据企业经营管理的需要设置小汽车、通勤车及救护等常用车停车场和非机动车停车场,以满足企业在行政、接待、通勤、救护等方面的停车需求。近年来随着我国交通运输事业的发展,以及各种装卸设施的技术进步,工厂大宗货物的运输依靠市场物流运输公司完成,这样大大缩减了企业自备用车的数量。因此,工厂停车场要根据物流的现实情况,实际所需车辆的车型、数量以及停车形式来设置。

6.4.2 厂内小汽车停车场、货车停车场应符合现行国家标准《工矿道路设计规范》GBJ 22、《汽车库、修车库、停车场设计防火规范》GB 50067的有关规定。

6.4.3 目前我国企业为加强经济核算,普遍在厂区主要货运进出口位置设置了汽车衡。按照我国公路交通为右侧行车,为使车辆能沿正常行驶方向称重计量，而不横穿道路，影响其他车辆行驶，汽车衡宜位于称量汽车行驶方向的右侧。根据现行国家标准《厂矿道路设计规范》GBJ 22 规定，车辆进、出车端的平坡直线段长度最小不应小于 1 辆车长。汽车衡的具体安装要求，还应按设备的安装说明书来确定。

7 管线综合设计

7.1 一般规定

7.1.1 本条系根据管线综合布置的性质、目的，以及工厂总平面布置、竖向设计、绿化设计的相互关系而提出。

管线综合布置是医药工厂总图布置工作的组成部分，是衡量医药工厂总图布置合理程度的标准之一。管线综合几乎涉及参与工厂设计的各个专业，它将各专业管线布置的经济合理性与工厂总体布置的合理性相整合，进行全面、统盘考虑。组织好各种管线的路径，协调好管线之间、管线与其他设施之间在平面和竖向上的关系，使管线布置既符合安全、防火、卫生的规定，又满足施工、操作维护的要求，力求管线顺直、短捷、投资省、占地少，从而达到解决矛盾，避免顾此失彼，促进工厂设计的总体优化。

本条经多年实践，普遍认为是必要的、可行的。

7.1.2 管线敷设方式与节约用地有直接关系，化工医药工厂管线用地大多数占有较高比例。为了在管线综合布置中较好地贯彻节约用地这一基本国策，提出本条。

管线敷设方式有地上式及地下式两大类。地上敷设方式有管架式、支撑式、低架式、沿地敷设式。地下敷设方式有直埋式、管沟式及共沟式。

选择管线敷设方式时，要综合考虑地形、管线内介质性质、生产安全、交通运输、施工检修和绿化条件等，经技术经济比较后确定。

7.1.3 管线共架、共沟布置是集中布置的一种方式，是节约用地的有效途径。用地紧张的地方应尽可能采用此种方式，它比分散的直埋式用地明显节省且便于维修。目前管线共架布置的形式较多，适用于厂区和室外装置区。其管架外形雄伟美观，有利于厂容厂貌。共沟布置适用厂区主管带，不占地表面积，便于检修及其他管线作业。但投资大，施工周期长。

管线选择何种敷设方式都应进行比较，且应在工程前期阶段和初步设计阶段中进行。

7.1.4 输送可燃、易爆、有毒、有腐蚀性介质的管道，是因为这些物料介质无论是在管内以压力流还是重力自流输送，都难免存在泄漏危险，一旦出现事故，则危害很大。因此，其敷设方式应采用易于早期发现问题、方便及时修复处理的方式，地上敷设正符合这一要求，故本条予以明确规定。

7.1.5 管线应布置在总图规划中的管线带内，这是体现土地功能划分所必要的。管线带与道路平行是合理利用土地的有效方式之一，也是布置的原则之一。为加强设计人员对土地有效利用的认识，故制定本条。

7.1.6 本条是为了保护管线，保证生产运行，方便交通运输，减少投资，有利安全而制定的。当交叉不可避免时，为缩小交叉产生不利影响的范围，最好彼此应成直角正交，困难时交角不应小于45°。

7.1.7 本条是根据数十年经验教训的总结提出的。为了保证与之无关的建(构)筑物、装置设施不致受到牵连而形成二次灾害，故本条明确提出不应穿越的要求。

7.1.8 本条是对分期建设的企业近、远期建设的有关规定。条文提出了分期建设的原则及近期建设中管线综合布置应注意的问题。数十年来，工业企业建设实践证明，近、远期工程的管线布置处理不当，会造成土地浪费、布置混乱、生产环境不佳、安全卫生得不到保证，并给施工、检修、生产和经营带来诸多不利。

7.1.9 本条为山区建厂时管线敷设的有关规定。条文提出充分利用地形，是有利于减少土(石)方量，减少工程投资的有效方法。强调避免自然地质灾害，是为了保证安全，顺利生产。工程实践中曾有厂矿发生过管线墩座、管架基础被山洪冲垮、破坏，给生产造成一定影响。因此规定要避免不良地质危害。

7.1.10 干管布置在靠近主用户较多的一侧，是为了减少与道路交叉，且有利缩短支管入户长度。管线与道路交叉在管线综合布置中占有重要位置，交叉不仅给施工、检修带来麻烦，增加了管线投资及介质输送能耗，而且有碍交通运输。多年来，虽然采取各种方法减少交叉点的不利影响，但医药化工厂的管线、道路间交叉仍然较多。故减少管线与道路交叉是管线综合布置中的重要原则。

干管分类布置在道路两侧有利设计、施工、检修及管理，已为一些行业所采用，实践证明效果较好。

架空管线应尽量布置在道路一侧，因两侧都布置架空管线，容易使人产生通道拥挤狭窄感觉，同时影响厂容美观。

7.1.11 本条提出的管线综合排列顺序，亦是管线综合布置的原则之一。在满足安全生产、施工及检修要求的前提下，管线布置既要有利于节约用地，又要使管线不受建筑物基础侧压力的影响，同时符合卫生要求。因此建议把埋深浅的管线靠近建筑红线，如电缆；把可能发生泄露，且泄漏后会对建(构)筑物基础产生不利影响的管线，尽可能远离建筑红线，如下水管；把有使用要求的，布置在方便使用的位置，如照明电杆在路边、雨水管道靠近道路边的下水口等。设计实践证明，按本条推荐的布置顺序进行综合管线布置，可取得较好的布置效果。但由于实际情况是千变万化的，具体运用时可根据情况调整，故推荐顺序规定为“宜”。本条所列顺序是公认较好的、常用的顺序。

7.2 地下管线

7.2.1 本条是为了使地下管线(沟)不受或少受外力影响，以免造成自身损坏或危害相关建(构)筑物而制定的。

1、2 此两款是根据建(构)筑物的基础压力影响范围提出的。一般靠近建筑红线一侧的压力影响深度较浅，而远离建筑红线一侧压力影响深度较深。为使地下管线不在压力影响范围内，本规范提出，靠近建筑红线一边宜敷设埋深较浅的管线，远离的一边宜敷设埋深较深的管线，从而达到合理利用通道下部土体的受力条件，以免损伤管线。第1款为原则性规定，第2款为明确的具体规定。

3 本款是考虑到避免管道检修时破坏道路影响交通，用时又考虑节约用地而制定的。本款不作较严格的规定，对检修少和路面破坏小的管线，放宽了尺度，允许敷设在路面下面。

4 本款是为避免干扰、便于检修而制定的。

7.2.2 本条列出了管线综合中常见的主要矛盾及解决原则。管线综合本身就是为解决管线敷设中的各种矛盾，使之做到有利于安全生产、方便工程施工、节约用地、费用最少。本条是化工医药企业数十年来管线综合设计及施工维修方面的经验总结，并为实践证明是处理管线布置中各种矛盾的较好方法。

7.2.3 本条为地下管线交叉布置的基本要求。符合这些要求可避免管线交叉的不利影响，有利于安全生产、防火防爆、环境卫生以及管线自身的保护。给水管道位于污水管道上面，以免给水管被污染；可燃气体管道应在其他管道上方，因这类管道有潜在危险，一旦发生事故，不至于在短时间内危害下面管道；电力电缆在热力管下方，以防电缆受热导致绝缘体老化，缩短电缆使用寿命，同时温度升高会降低其载流量；热力管道应在可燃气体管道及给水管道上方，以减少这些管道受热影响；受热后极易造成体积膨胀的介质管线、腐蚀性介质管线及含酸、含碱的排水管道应在其他管线下方，这类管线易被破坏，一旦泄漏不至于影响其他管线。

7.2.4 本条为保护地下管线不受或少受外力影响，不因外力影响导致损坏而制定。条文指出了管顶覆土厚度（即管线埋深）的确定条件。近年来各种重型运输车辆的使用、路面结构材料的改善、路面厚度的增加等都使路面下的受力情况发生变化，故管线埋设深度要考虑这些因素。

7.2.5 本条规范了地下管线穿越道路时的埋深要求。以往是从路面顶层算起，通常为0.7m，现在规定为管顶至道路路面结构层底的垂直净距不应小于0.5m。当有困难，满足不了深度规定时，本条提出加设防护套管等措施，此情况在改、扩建工程中经常遇到。

7.2.6 本条系根据化工医药工厂建设数十年的经验及教训，为避免或减少穿越有腐蚀性物料堆场附近的各种管线遭受腐蚀而制定的。本条主要是针对存放有腐蚀性的小坛、罐的露天场地和棚场地。

调查表明，铺砌再好的防腐地面堆放场，仍难免有腐蚀性物料下渗，日久天长，致使堆放场附近的地下管线遭受腐蚀，造成不必要的损失。这一问题在20世纪五六十年代就已引起注意，并将管线埋置在距堆场边界1m～2m外，但调查发现仍然遭受腐蚀，近年来一般将该距离定为不小于2m。当在地下水流上游时，此数据尚合适，但在下游时该间距应加倍为4m。

7.2.7 本条第1款～第5款是为了共沟管线的防火、防爆、卫生等安全要求及避免相互的不利影响而制定的。管线共沟敷设虽有不少优点，但我国目前在这方面实践经验较少，本条按从严要求的原则制定。

1 热力管道指蒸汽管、热水管等。这类管道均有保温设计，但由于目前隔热材料以及施工技术、检修手段的限制，再好的保温管壳也有一定的热损失，这就致使沟内环境温度升高，对电缆、压力管道的介质产生不利影响。如电缆外包绝缘材料在较高温环境下容易老化，影响使用寿命。同时环境温度愈高，电线载流量愈低，影响使用或降低经济效益。压力管内介质也会因环境温度上升而膨胀，增大管道内压力，造成潜在的爆管危险。故热力管不应与电缆、压力管道共沟。

2 排水管包括污染严重的生产污水、生活污水及污染轻的生产废水与雨水管道。任何排水管道都会有程度不同的污染，管道接口亦常会产生漏水。无论是发生事故时的污水外流，或考虑平常发生的跑冒滴漏，都应将排水管道布置在沟底，这有利于缩小污染范围，保护环境。

3 此款为了防止腐蚀性介质管道一旦发生事故或产生滴、漏时损害其他管线，故应将其敷设在其他管线下面。

4 易燃、易爆、有毒及腐蚀性介质管道共沟，相互干扰严重，一旦其中一条管道发生事故产生灾害，易带来二次灾害，造成检修困难。严禁与消防水管共沟，是因为上述管道发生事故时，同样会使消防水管受到影响或遭受破坏，而失去消防水管功能。故作出了本款规定。

5 有可能产生相互影响的管线，共沟敷设时将会造成潜在的隐患，不利于安全生产、管线施工、维护检修、节能降耗、降低成本等。

6 本款提出共沟敷设的沟壁与建筑物基础及树木之间应留出必要的间距。实践证明，树木根系在生长过程中力量相当大，会穿进沟墙的沟缝缠绕管道，甚至损坏沟壁及管道，其间距与树木种类有关。因此要求乔木与沟壁之间的间距为3m，灌木为2m。条文中提出的数据是最小间距。

7.2.8 本条文规定地下管线之间，地下管线与建(构)筑物之间间距的最小值参照现行国家标准《化工企业总图运输设计规范》GB 50489中表7.2.7、表7.2.8的规定执行。设计时必须结合工程的具体条件，确定该工程应采用的最佳值。

7.3 地上管线

7.3.1 本条提出了确定地上管线敷设方式时应考虑的主要因素。

7.3.2 危险性介质的管道采用管架敷设方式方便施工、维修和日常管理。一旦管道发生事故也有利于安全抢修和消防作业。

7.3.3 为了防止管道内危险介质一旦发生外泄，对与其无关的建(构)筑物造成危害，同时也防止上述建(构)筑物或内部设备一旦发生事故，对有危险性介质和管道造成损坏，从而带来二次灾害，故制定本条规定。

7.3.4 本条提出了管架综合布置时应符合的条件，其目的是为安全生产、便利交通运输，有助消防作业、方便施工、维修和运行管理。管架净高及基础位置不得影响交通运输；平行建筑物布置的架空管道不应妨碍建筑物的自然通风和采光，并按规定与建筑物保持一定的距离；对有危险介质管道与生产、储存、装卸甲、乙类火灾危险物料及有毒物料的设施，应保持有安全距离，以防二次灾害的产生而造成更大危害。

7.3.5 国家现行标准《66kV 及以下架空电力线路设计规范》GB 50061 和《110～500kV 架空送电线路设计技术规程》DL/T 5092 对相应的架空线布置均有较详尽的规定，管线综合布置应符合这些规范的规定。架空电力线路跨越条文所列出的建(构)筑物和储罐区时，显然增加了潜在危险，因此条文给以明文规定是必要的。

7.3.6 35kV 以上的高压电力线危险性较大。一般厂区内建(构)筑物、车辆及人员较多，进入厂区的 35kV 以上的高压电力线最好采用地下电缆，但地下电缆费用较高。因此至今仍有大量非电业工程采用架空方式。架空高压电力线路进入的总变电站或车间如不靠近厂区边缘布置，势必加长线路长度，从而增加了危险性及厂内火灾、爆炸事故对电力线的影响。考虑安全性及经济性两方面，应经技术经济比较后确定敷设方式，同时规定应缩短厂区内线路长度及沿厂区边缘布置。

8 绿化设计

8.1 一般规定

8.1.1 整洁优良的生产环境是现代工业的重要标志之一，工厂绿化与美化就是达到这种目的重要手段。近年来，我国医药工业发展迅速，建成了不少工艺先进、设备精良、生产自动化、运输多样化、环境整洁优美，厂区宏伟壮观，具有明显医药生产特点的现代制药工厂，工厂绿化与美化设计在此发挥了重要作用，并成为工厂总平面设计中不可缺少的组成部分。工厂绿化要讲究环境效益、社会效益、经济效益。要把工厂绿化这一小环境系统置于周边环境乃至工厂所在地城镇的大环境系统中来考虑，起到协调环境、保护环境、创造环境的作用。工厂绿化设计有别于城市园林绿化。应该针对工厂性质，特别是医药生产性质、类别多样，产品生产要求环境条件较高等特点，合理选择植物类别及绿化美化措施，才能发挥其最好效果。为了给工厂企业提供较好的绿化条件，要求在进行总平面布置的同时，就要考虑绿化布置，而不是在总平面布置完成后再象征性地点缀一下，或是“补课”。绿化应结合总平面布置、竖向布置、管线综合布置统一考虑、合理安排，以达到消除污染，提高生产环境质量，增强职工身心健康，美化厂容厂貌之目的。

8.1.2 本条列出了绿化设计应遵循的基本原则。这些原则是多年绿化实践的归纳总结，也是绿化先进企业共同的经验，体现了绿化设计既满足总图运输各方面的要求，又贯彻节约用地的基本国策。同时，使工厂绿化设计达到保护环境，美化环境的目的。

1 工厂绿化必须以防治污染及其扩散为指导思想，其次才是美化环境的要求，这是工厂绿化有别于城市绿化和园林绿化的根本点。

由于医药化工企业产品品种繁多，工艺生产路线多样，整个生产过程都存有多种污染物质，不仅有酸碱盐类，还有有机酸、苯胺类及氯化物类等，这些物质对大气、水域、土壤造成污染，直接影响人体健康并危害动物植物的生长。化学合成药物生产过程的高温、高压，易燃、易爆物料的输送以及生产中的泄漏事故都易引起火灾和爆炸。即使正常生产时已经将污染源消灭的生产过程，但在检修期或事故发生时也难避免。因此，应该采用其他措施来保护环境，其中工厂绿化就是有效的方法之一。医药工业企业绿化可根据不同的环保对象，选择不同的植物和布置方式。化工医药企业绿化设计必须根据工厂特点和总平面布置中的不同功能用地的要求进行。否则达不到绿化效果，反而带来不必要的损失，如植物成活率低。再者可能给安全生产带来隐患，如增加火灾危险性或阻碍污染物扩散等不良后果。

2 对绿化影响较大的是厂区内各种管线。因此管线综合时，必须同时考虑绿化。为了使绿化不影响工厂生产安全，本款提出了应该考虑的方方面面。

3 工厂绿化不宜提倡和追求以设置专用绿地来提高绿化效果，应始终贯彻节约用地的基本国策。工厂绿化用地是有限的，但为了解决好绿化用地问题，应充分利用零星边角小块土地，见缝插针绿化。

8.1.3 本条提出医药工业企业绿化要以绿为主，并且要实用、经济、绿化美化效果好的原则。要结合工厂生产特点、污染程度以及所要达到的绿化效果，正确合理地进行绿化设计。不应片面的在厂区设置花墙、假山、亭台等建筑小品，只追求表面装饰而忽视了绿化功能。

8.1.4 本条是医药工业企业绿化设计时对植物选择的原则要求。

同样栽植于医药工业企业内的植物，所处环境相同，经受同样污染，但有的植物少受损害，或受损害后一旦环境改善，又能逐渐复生。而有的则受损严重，基本枯萎死亡。所以药厂绿化时应选择抗性强、耐性好的抗污染植物，以保证绿化取得良好效果。

8.2 绿化布置

8.2.1 本条根据药厂绿化实践经验归纳而成。调查表明，我国制药工厂大都以本条所列地段或区域为重点绿化地带，以改善气候、净化空气、减少噪声、美化环境。第5款易受雨水冲刷的地段，主要是指挖、填方坡面，坡度大于6%的裸露场地。实践经验证明，在边坡、堤岸植树种草可使地面免遭暴雨的直接冲击，树木和草皮的强大根系又可减弱雨水对坡面地表土壤的冲刷，起到防止水土流失的作用。

8.2.2 行政办公及生活服务设施区通常为厂前区，它是药厂行政管理、生产技术、质检的中心，也是厂区内外联系的主要出入口，同时它又是工厂面临城镇道路的场所。该区一般布置在厂区上风向，人员活动集中，是企业对外联系的窗口，体现企业形象且污染轻、管线少、绿化条件较好，故是全厂的重点绿化区域。

8.2.3 医药企业厂区要求有高洁净度的生产环境，对周围空气的含尘量、含菌量均有一定要求，否则会影响药品产品质量。

医药工业洁净厂房周围绿化，要特别注意选择对大气质量不产生不利影响的植物。滞灰能力强的植物、叶面表面粗糙或多细毛，能聚集灰尘，遇较强的风会产生二次场尘；一些植物的花、叶等能分泌营养汁液，且存留时间较长时，就可能滋生细菌；花朵开花时会产生大量花粉或花絮，同时还会招惹昆虫；观赏花卉多为一年生植物，需经常翻土、播种、移植，从而破坏植被，使尘土飞扬；高大乔木树冠覆盖面积大，其下部难以植被，增加了厂区露土的面积；不少乔木的落叶或花絮飞舞，会增加大气中的悬浮颗粒。还有一些产生致敏性或毒性物质的植物，都不应作为医药洁净厂房周围的绿化植物。因此，医药工业洁净厂房周围场地绿化应以种植草坪为主，小灌木为辅。厂内露土宜覆盖，厂区内不应种植观赏花卉及高大乔木，并应符合现行国家标准《医药工业洁净厂房设计规范》GB 50457 的有关规定。

8.2.4 散发有害气体的生产、储存和装卸设施，是有害气体的污染源。在其周围布置绿化应充分考虑有害气体对植物的危害，必须按有害气体性质选择树种，选择对有害气体耐性及抗性强的防污植物。

抗有害气体的植物一般有以下特点：

(1)植物叶子表面较厚，并有附着物，如腺毛、蜡质“白霜”。另或外表有革质、角质化，气体不易进入叶内，抗性较强，如银杏、刺槐等其叶面有明显的腊层。

(2)一般叶片的气孔形状呈凹陷，不密集于表面，而且气孔数量较少者抗性稍强，如侧拍气孔凹陷。

(3)叶片气孔周围有腺毛等物，可阻挡毒气通入，有的气孔对毒气敏感，在不利条件下具有及时关闭的能力，如银桦气孔被腺毛覆盖。

(4)植物叶子叶液偏碱性，即 PH 值稍高，有利于抵抗酸性毒气。

有些树木、花、草对空气中的有害气体比人的感觉灵敏，在污染浓度尚未达到危害人体时，植物就已显现出受害症状。如花朵萎缩、叶上有斑点、枝叶发黄等症状，向人们发出空气污染的各种“警报”，以提示要尽早采取防治措施。

8.2.5 树木防火的机理主要有两方面：一是耐火性，树木靠蒸腾和辐射散热等作用，能迅速排除积热，降低树体温度，而树叶的蒸腾作用可随温度的上升而相应加剧，因此树木具有强大的耐火性。二是隔热性，可阻挡火源发出的大部分辐射热，防止点燃周边的物体。

然而，并不是所有(每一种)绿色树木都具有相同的耐火性和隔热性，人们把具有高度耐火性和隔热性的树种叫作“防火树”。各种防火树的隔热性能因树种、树形和叶片密度等情况而异。另外，种植行数也影响隔热量，根据要求，一般以种 3 行为宜。

8.2.6 比空气重的可燃气体一旦外泄，会沉降于地表且随地面坡度或风向流向低处，遇到阻碍则会聚积，当浓度达到爆炸下限，遇有火源，则会引起爆炸及火灾。绿篱及茂密的灌木丛，类似一堵墙体，能阻碍气体扩散。因而在装置车间及其设施附近不允许种植绿篱及茂密灌木丛，以利气体扩散，保证生产安全。

8.2.7 树木靠树枝和树叶能明显地阻挡、过滤和吸附烟尘及粉尘，起到滞尘作用。叶片表面粗糙、多绒毛、能分泌黏性油脂和浆液的树木则可吸附大量粉尘，具有更强的滞尘能力。资料表明树木、林带能够降低风速，可使烟尘下降或减少尘土飞扬。地被植物或草皮，同样具有吸附烟尘和粉尘的作用，同时还能固定地表土壤不使尘土飞扬。

8.2.8 医药企业中产生强烈噪声的污染源，如空压站、空分车间、粉碎车间、发酵车间、动力站等场地，当噪声超过 85 分贝～90 分贝时会对人体产生不利影响。消除噪声的根本办法是在声源上采取措施，但目前科技水平还达不到完全控制噪声的要求，而利用绿化带尚能减弱一些噪声。比如在噪声强烈的车间周围选择枝叶茂密、分枝点较低，叶片较大的乔木、灌木和常绿树，组成复层混交林带，构成“绿色的隔音壁”，是减弱噪声的措施之一。从树种看，叶面愈大，叶片愈密，其减噪能力愈强。从配置方式看，自然式种植的植物群较行列式减噪效果好，矮树冠比高树冠好，灌木更好。绿化减噪的效果与防声林带的宽度、高度、位置、配置方式以及植物的种类均有密切关系。

8.2.9 为防止冷却塔四周地面尘土及其他飘尘吹入池内污染水质，冷却塔周边场地宜进行绿化。树木至进风口应有足够的距离，以免影响冷却通风效果。

8.2.11 为了提高绿地率，应充分利用厂区一切可以进行绿化的土地，是解决工厂绿化用地面积有限的办法之一。如有条件时，可利用管廊、管架的两侧，种植灌木或小乔木；在架空电力线下种植生长缓慢而又耐修剪的植物；在埋地管线上部地面栽植花草或根系短浅的灌木，既不影响植物生长，又能满足管线检修要求。

8.2.12 厂区道路绿化功能应是遮荫、吸尘、防噪、隔离车带和美化环境、厂容等。其绿化是在厂区内主干道路两侧种植行道树，由各类树木组成多层次的行道绿化带，且要与道路两侧布置的地上、地下的各种工程管线、建（构）筑物协调好间距。这通常在管线设计时，事先布置好行道树、绿化带的位置、密度，不使绿化带与管线或建筑物产生矛盾，造成相互不利影响。

8.2.13 垂直绿化是医药企业工厂绿化的一种方法，可以提高厂区绿化效果。

8.2.14 厂区围墙内周边绿化可减轻生产中排出的有害物质对外产生影响。本条所列为带状绿化，主要是利用树木滞滤粉尘，吸收有害气体和衰减噪声等。

8.2.15 树木与建（构）筑物、管线之间的间距是根据园林工作者在实践中的经验总结，并根据化工、医药企业的特点制定的。本条表 8.2.15 中的管沟为一般的管沟。

8.2.16 为保证电力线路的安全运行，本条给予规定是必要的。

9 主要技术经济指标计算

9.0.1 本条对医药工业总图运输设计的技术经济指标作出规定：

1～3 厂区总征地面积、厂区代征地面积、厂区建设用地面积以国土资源行政管理部门提供的数据为准。

厂区总征地面积＝厂区代征地面积＋厂区建设用地面积。

4 建(构)筑物占地面积应按其外墙或结构外围水平面积计算。

5 行政办公及生活服务设施占地面积：项目建设用地范围为行政办公、生活服务设施用地面积。

6 总建筑面积：总建筑面积和计算容积率的总建筑面积是有区别的。总建筑面积按建筑设计规定计算。

7 计算容积率的总建筑面积：按本规范附录A的有关规定计算。

8 行政办公及生活服务设施建筑面积：项目建设用地范围内行政办公、生活服务设施的建筑面积。

9 道路停车场占地面积：项目建设用地范围内道路(包括车间引道、人行道、停车场、回车场)的总和，按本规范附录A的有关规定计算。

10 绿地面积：项目建设用地范围内各类绿化用地计算面积的总和。

11 容积率：按本规范附录A的有关规定计算。工厂容积率和建筑容积率的计算内容是有区别的。计算工厂容积率时，总建筑面积增加了构筑物和设备及设施等计算面积，当建筑层高超过8m时，该层建筑面积按加倍计算。

12 建筑系数：按本规范附录A的有关规定计算。

13 绿地率:按本规范附录A的有关规定计算。

14 厂区利用系数:按本规范附录A的有关规定计算。

15 行政办公及生活服务设施用地面积比率:项目建设用地范围内行政办公及生活服务设施用地面积与项目建设用地面积的比例,计算公式如下:

行政办公及生活服务设施用地面积比率=行政办公及生活服务设施用地面积÷项目建设用地面积×100%。

16 围墙长度:以围墙中心线计算长度。

17 机动车停车泊位:包括地上、地下机动车停车泊位,必要时可分列。

18 非机动车停车泊位:地上、地下非机动车停车泊位的总和。